Sānmáo Jiěfàng Jì

解放记

三毛故事集锦

彩图注音读物

少年儿童出版社

三毛之父——平民画家张乐平

我的少年时代

张乐平

  我的书桌上又新增加了几封读者来信。有的来自隔山隔水的边远山镇，有的来自我所生活的城市。他们多数都是孩子，都怀着一颗纯洁的心，向我打听"三毛"是怎样诞生的。从他们清晰、端正的笔迹中，可以看出他们有画线条的功夫。我猜想，这是一些爱好绘画的孩子。

  我爱他们，他们使我想起了自己的少年时代。

  "三毛"虽然是我在一九三五年开始创作的一个艺术形象，但是三毛的影子却很早就活在我的脑子里了。在他身上，也有我自己童年和少年生活的片断。

  我是浙江省海盐县黄庵头村人，家里一共有四个姐妹兄弟。我父亲是一位乡村小学的教师，每月收入非常微薄，很难供养一家六口。我母亲经常为别人绣花、剪纸、做香袋，赚一点钱贴补家用。家里我最小，母亲比较疼爱，她经常把我带在身边。我最早就是从母亲的手中看到了画，接触了美，知道了艺术。

  大约是在我四五岁的时候，我已经不满足仅仅看母亲剪纸和从地上拾起碎纸屑玩了。我模仿着，把彩纸对折了又对折，斜叠了又斜叠，然后用剪刀一直剪，直一刀、横一刀，待把彩纸展开，面前出现了匀称、镂空的图样。这时，我高兴极了，开始对剪纸艺术发生了兴趣。

  但我母亲绣的花比她剪的纸更要美。她能绣张牙舞爪的龙，会绣昂首奔腾的马，还能绣逗人喜爱的胖娃娃。在我眼里，这些龙、马和胖娃娃都像活的一样。我不会绣，但我记住了这些形象。一天，我又到海边去玩，凶猛的浪潮退去了，留下一望无际的平展展的海滩。海面上空聚集了浓厚潮润的乌云，形状有如母亲手中绣出的龙。于是我伛下身，拿树枝在海滩上画出了张牙舞爪的龙，昂首奔腾的马，逗人喜爱的娃娃……就像母亲手中绣出的那样。回到家里，我又从父亲那里取来纸笔，铺在凳子上，一笔一画地画出了龙、马和胖娃娃。从此以后，母亲绣什么，我就模仿着画在纸上。

虽然那时我们的生活非常清苦，但在艺术天地里，我得到了很多乐趣。记得一个夏天的晚上，我又坐在母亲身边看她绣花，突然发现从蜡烛上流下来的一摊烛油，很像妈妈绣的小鸡。我急忙用手去捉，拿到手上的却是一堆热乎乎软绵绵的油泥。我就用它们照着母亲的花样，捏了只小白兔，还从供节日用的红蜡烛上，挖下了一点红油嵌在白兔的眼眶里。我父亲走过来看到，拍拍我的肩说："好，你捏得真像只小白兔哩！"妈妈也开心地夸赞我。他们的鼓励，使我增强了绘画的兴趣与信心。

模仿，引导我走进艺术之门。母亲，就是我的启蒙老师。

九岁那年，我母亲去世了，在家里，我再也看不到那些用手绣、用刀剪的栩栩如生的艺术形象，我便长久地站在田埂上看农民车水灌溉，对水车的结构，踩动的样子都看得非常入神。回到家里，我就照自己看到的画了一幅车水图，在画的过程中，不断带着画实地对照，经过近十次的观察、修改，终于画成了一幅形态逼真的车水图。这是我从模仿到写生的开始，我觉得写生要比模仿更有趣。

我到海盐县小学读书，每周都有美术课，美术老师叫陆寅生，他教我们正确运用线条，让我们在教室里和学校外面进行写生。我像干燥的海绵吸收一切水分那样，认真地记下了他的每一句话，而且不断地画，街头小景，挑菜买菜的，看到什么就画什么。陆老师看了我的画，非常喜欢我。

有一天，陆老师把我叫到办公室，要我画张有头大肥猪背着放了许多银元的口袋的画。我问老师画这个干什么，他便告诉我，北洋军阀有个头子叫曹锟，前不久他镇压了京汉铁路工人的大罢工，现在又想当大总统。为了拉选票，他宣称国民议员凡投他票的都可得到五千块银元。老师们要揭露他的面目，要办壁报讽刺他。我在家乡经常看到猪，也画过不少猪。这次我就在老师给我的白纸上，画了一头变了形的非常丑陋可笑的大肥猪，在它背上驮着被夸张了的血淋淋的五千元大洋。老师特地给这幅画加了个《一豕负五千元》的标题，作为插图贴在壁板上。这是我的第一幅漫画。

以后，老师要我配合他们抗议"五卅"惨案的宣传。老师先把"五卅"惨案的经过编成文字，再叫我作画，然后装订成册，用绳子吊在竹竿上，拿到县城最热闹的地方去宣传。这便是我的第一部连环画。

小学毕业以后，父亲实在无力供我上中学，就在一九二五年，我十五岁那年，送我到南汇县万祥镇上一家木行当学徒。我这时的生活和三毛在一家印刷厂当学徒的生活没什么两样。每天天不亮就起床，淘米、洗菜、打扫、做饭、干里外杂事，晚上关门以后还要边照看店门、边为老板搓吸水烟用的纸媒（抽水烟点火的小纸卷）。稍不留心，还要遭到老板的打骂，过的是凄苦的生活。只有在老板离开木行，夜深人静的时候，才有一点乐趣。这时，我愉快地坐在写字台前，展开老板用做纸媒的纸，一面研墨，一面构思。在我眼前又出现了万绿丛中的花儿朵朵，海水碧波上的归帆片片，以及童年的伙伴，白天的见闻。我一边想，一边画，画完就把画纸裁成一条条，搓成一根根纸媒，让老板去用。

不料有一天，下着绵绵阴雨，空气非常潮湿，纸捻里的墨水不干，老板抽水烟时，纸媒怎么也吹不燃。他很奇怪，把纸媒剥开一看，发现了纸卷里全是毛笔画，于是大为光火，把我痛骂了一顿。从此以后，我就改用铅笔作画，从不中断。

到了夏天的晚上，成团的蚊子围着我的两脚叮，我只好搬来两只空甏，把双脚伸了进去。可是有一天晚上，当我正全神贯注地作画时，突然听到老板

"砰砰砰"的敲门声。我心急慌忙，脚未拔出来，身子朝前一冲，一下子摔倒在地上，甏碎了，脚磕破了。我挣扎着把门打开，老板气势汹汹地抬起脚，就给我当胸一脚，我像受了电击一般倒在地上，坛子的碎片把我右耳根划开一道很深的口子。顿时我感到眼前灰雾茫茫，烟幛重重，几乎昏了过去。

从此，老板罚我每天晚上到河边去看木排。我独自住在一间用粗木料临时搭成的小木板屋里。孤寂，恐怖，使我感到窒闷和慌乱。没有了画具，使我感到空虚。严冬刺骨的寒冷，酷暑烤人的炎热，这些我都不怕，最怕的是不让我用画笔。

一九二七年，我终于离开了木行回到了家乡，又拿起笔画了欢迎北伐军和打倒北洋军阀的宣传画。由于战乱，我很快又离开了家乡来到上海，当过工厂学徒，还画过广告。那些日子我是在贫困中度过的。在苦难中挣扎，我熟悉了穷苦人们的生活，我了解了他们的心情。有一段时间，我为周围的穷兄弟们画速写，和那些瘦骨嶙峋、漂泊流浪的孩子交朋友，我们有同样的屈辱和苦难，一种强烈的要想表现他们的激情不断冲击着我。在三毛的苦难生活中也溶进了我自己的生活。

有人说我是三毛的叔叔、爸爸、爷爷，也有人说三毛就是我。

其实三毛是我根据自己和旧社会千千万万受苦受难的儿童的经历创造出来的艺术形象。他的过去是我童年、少年生活的写照，他的今天将是你们生活的写照。

我们之间相差几十年，我们的少年生活有着巨大的区别。我看着你们这些充满天真热情的信，我真羡慕你们！

（1981 年）

《早期三毛》（1935 年—1937 年）

1935 年，可爱的小三毛"出世"啦。他第一次亮相是在 1935 年 7 月 28 日的《晨报》副刊《图画晨报》上。

创作三毛的就是我国著名的漫画大师张乐平爷爷。当时他还很年轻，但是由于家境贫寒，已经经历了人生的风风雨雨。他非常同情穷苦的老百姓，想要用自己的画笔，为那些穷苦人打抱不平。他曾经在报刊上发表过许多漫画，揭露当时社会上的一些不公平的事情。

在那个时候，中国还有许多大人不识字，更不用说小孩子了，所以张爷爷就想了一个好方法，画一种没有文字的连环漫画，这样大部分人都能看懂了。他很喜欢小孩子，觉得孩子的一言一行天真、幼稚，很吸引人，于是就决定让孩子当主角。

三毛，大大的眼睛，圆圆的鼻头，特别是他那光光的大脑勺上竖着的三根短毛，别提有多神气了。这么有趣的名字再配上滑稽的长相，让人一看就会忍不住笑起来。

早期的三毛滑稽幽默，调皮捣蛋，闹出了种种笑话。他的天真、热情和单纯是孩子的天性，所以小朋友们看了能产生共鸣，大人们看了便会暂时把烦恼丢开，顿时觉得自己年轻了好几岁。

自 1935 年至 1937 年，上海的 20 多家报刊先后刊登了 200 多幅三毛漫画作品。三毛在当时就已经成为了一个名副其实的漫画明星，也成了大人和孩子们共同的好朋友。

今天是1935年7月28日，张乐平叔叔画下了三根毛的我。我用小喇叭把小朋友们召唤来，要成立旅行团。大家好容易凑了钱，但只够坐一辆黄包车。我们八个小伙伴硬挤了上去，层层叠叠架得老高，把拉车人累得直喘粗气。"红头阿三"巡捕瞪大了眼：好个旅行团专车！

<ruby>我<rt>wǒ</rt></ruby> <ruby>的<rt>de</rt></ruby> <ruby>理<rt>lǐ</rt></ruby> <ruby>想<rt>xiǎng</rt></ruby> <ruby>可<rt>kě</rt></ruby> <ruby>远<rt>yuǎn</rt></ruby> <ruby>大<rt>dà</rt></ruby> <ruby>了<rt>le</rt></ruby>，<ruby>我<rt>wǒ</rt></ruby> <ruby>要<rt>yào</rt></ruby> <ruby>当<rt>dāng</rt></ruby> <ruby>大<rt>dà</rt></ruby> <ruby>将<rt>jiāng</rt></ruby> <ruby>军<rt>jūn</rt></ruby>。<ruby>没<rt>méi</rt></ruby> <ruby>有<rt>you</rt></ruby> <ruby>高<rt>gāo</rt></ruby> <ruby>头<rt>tóu</rt></ruby> <ruby>大<rt>dà</rt></ruby> <ruby>马<rt>mǎ</rt></ruby> <ruby>不<rt>bú</rt></ruby> <ruby>要<rt>yào</rt></ruby> <ruby>紧<rt>jǐn</rt></ruby>，<ruby>我<rt>wǒ</rt></ruby> <ruby>有<rt>yǒu</rt></ruby> <ruby>我<rt>wǒ</rt></ruby>

我的理想可远大了，我要当大将军。没有高头大马不要紧，我有我的小狗——花花。花花快来，从现在起你就是我的坐骑了，我要带你去打仗。小胖，你快过来，给我举旗子，上面要写着"大将军"三个字。我要挥起我的小树枝，"驾——驾——驾，冲啊！"

3

伯伯坐在长凳的一头专心致志地看书，我在长凳的另一头玩杂技。嘿嘿，倒挂金钩、前滚翻，再来个标准倒立。"嗡嗡嗡……"该死的蚊子又开始作怪。哎呀，天哪，伯伯，你早不打，晚不打，偏偏这个时候打蚊子。哎哟，我的头啊……

^{bú jiù shì tiào shuǐ guàn jūn ma} ^{bà ba} ^{wǒ yě xíng} ^{ńg} ^{zěn me liàn xí tiào shuǐ ne} ^{hā hā}
不就是跳水冠军吗？爸爸，我也行。嗯……怎么练习跳水呢？哈哈，

^{wǒ yǒu hǎo bàn fǎ le} ^{jiā li de yù gāng suī rán bú dà} ^{dàn shì liàn tiào shuǐ hái shi chuò chuò yǒu yú la} ^{kàn}
我有好办法了！家里的浴缸虽然不大，但是练跳水还是绰绰有余啦。看

^{wǒ de} ^{bǎ yī fu tuō diào} ^{wān yāo} ^{bǎi bì} ^{yī} ^{èr} ^{sān}
我的，把衣服脱掉，弯腰，摆臂，"一 —— 二 —— 三……"

5

wén zi zhēn fán rén wǒ dōu kuài bèi wén zi huó tūn le wǒ hái shi dào shuǐ li qù duǒ yi duǒ ba yǒu
蚊子真烦人，我都快被蚊子活吞了。我还是到水里去躲一躲吧，有

xī guǎn wǒ jiù kě yǐ yì zhí dāi shuǐ li le ā yā hǎo tòng sǐ páng xiè bié jiā wǒ de jiǎo a tòng sǐ
吸管我就可以一直呆水里了。啊呀，好痛，死螃蟹，别夹我的脚啊，痛死

le kuài fàng kai wǒ shuǐ li yě bù néng dāi nà wǒ gāi qù nǎ er ne hēi hēi zhè ge yóu tǒng dào shì bú
了，快放开我！水里也不能呆，那我该去哪儿呢？嘿嘿，这个油桶倒是不

cuò nà wǒ de liǎn zěn me bàn hā hā jiù yòng fáng dú miàn jù ba
错，那我的脸怎么办？哈哈，就用防毒面具吧。

bà ba wǒ zhī dao le wǒ yàoxiàng Sī mǎGuāngxué xí Sī mǎGuāng zá gāng jiù xiǎo hái nà wǒ jiù
爸爸，我知道了，我要向司马光学习。司马光砸缸救小孩，那我就

zá tán zi jiù pí qiú ba xiān bǎ pí qiú tī jin qu hēi hēi zhènghǎo tī zhòng le wǒ zhǎokuài shí tou bǎ
砸坛子救皮球吧。先把皮球踢进去，嘿嘿，正好踢中了。我找块石头把

tán zi zá pò pí qiú jiù néngchū lai la kuāngdāng tài hǎo le tài hǎo le wǒchénggōng la
坛子砸破，皮球就能出来啦。"哐当！"太好了，太好了，我成功啦！

<ruby>我<rt>wǒ</rt></ruby> <ruby>是<rt>shì</rt></ruby> <ruby>大<rt>dà</rt></ruby> <ruby>力<rt>lì</rt></ruby> <ruby>士<rt>shì</rt></ruby>！<ruby>有<rt>yǒu</rt></ruby> <ruby>谁<rt>shuí</rt></ruby> <ruby>敢<rt>gǎn</rt></ruby> <ruby>跟<rt>gēn</rt></ruby> <ruby>我<rt>wǒ</rt></ruby> <ruby>比<rt>bǐ</rt></ruby> <ruby>吗<rt>ma</rt></ruby>？<ruby>打<rt>dǎ</rt></ruby> <ruby>得<rt>de</rt></ruby> <ruby>过<rt>guò</rt></ruby> <ruby>我<rt>wǒ</rt></ruby> <ruby>就<rt>jiù</rt></ruby> <ruby>送<rt>sòng</rt></ruby> <ruby>吃<rt>chī</rt></ruby> <ruby>大<rt>dà</rt></ruby> <ruby>平<rt>píng</rt></ruby> <ruby>哥<rt>gē</rt></ruby>（<ruby>苹<rt>píng</rt></ruby> <ruby>果<rt>guǒ</rt></ruby>）<ruby>一<rt>yì</rt></ruby> <ruby>只<rt>zhī</rt></ruby>。<ruby>呵<rt>hē</rt></ruby> <ruby>呵<rt>hē</rt></ruby>，<ruby>还<rt>hái</rt></ruby> <ruby>真<rt>zhēn</rt></ruby> <ruby>有<rt>yǒu</rt></ruby> <ruby>不<rt>bú</rt></ruby> <ruby>怕<rt>pà</rt></ruby> <ruby>死<rt>sǐ</rt></ruby> <ruby>的<rt>de</rt></ruby>！<ruby>嘿<rt>hēi</rt></ruby>，<ruby>先<rt>xiān</rt></ruby> <ruby>吃<rt>chī</rt></ruby> <ruby>我<rt>wǒ</rt></ruby> <ruby>一<rt>yí</rt></ruby> <ruby>个<rt>gè</rt></ruby> <ruby>拳<rt>quán</rt></ruby> <ruby>头<rt>tou</rt></ruby> <ruby>再<rt>zài</rt></ruby> <ruby>说<rt>shuō</rt></ruby>！<ruby>哈<rt>hā</rt></ruby> <ruby>哈<rt>hā</rt></ruby>，<ruby>不<rt>bù</rt></ruby> <ruby>行<rt>xíng</rt></ruby> <ruby>了<rt>le</rt></ruby> <ruby>吧<rt>ba</rt></ruby>，<ruby>投<rt>tóu</rt></ruby> <ruby>降<rt>xiáng</rt></ruby> <ruby>了<rt>le</rt></ruby> <ruby>吧<rt>ba</rt></ruby>。<ruby>还<rt>hái</rt></ruby> <ruby>有<rt>yǒu</rt></ruby> <ruby>人<rt>rén</rt></ruby> <ruby>想<rt>xiǎng</rt></ruby> <ruby>向<rt>xiàng</rt></ruby> <ruby>我<rt>wǒ</rt></ruby> <ruby>挑<rt>tiǎo</rt></ruby> <ruby>战<rt>zhàn</rt></ruby>？<ruby>好<rt>hǎo</rt></ruby>，<ruby>让<rt>ràng</rt></ruby> <ruby>你<rt>nǐ</rt></ruby> <ruby>也<rt>yě</rt></ruby> <ruby>尝<rt>cháng</rt></ruby> <ruby>尝<rt>cháng</rt></ruby> <ruby>我<rt>wǒ</rt></ruby> <ruby>的<rt>de</rt></ruby> <ruby>厉<rt>lì</rt></ruby> <ruby>害<rt>hai</rt></ruby>。<ruby>怎<rt>zěn</rt></ruby> <ruby>么<rt>me</rt></ruby> <ruby>样<rt>yàng</rt></ruby>，<ruby>趴<rt>pā</rt></ruby> <ruby>下<rt>xia</rt></ruby> <ruby>了<rt>le</rt></ruby> <ruby>吧<rt>ba</rt></ruby>。

hái yǒu shuí gǎn gēn wǒ bǐ ya ńg jiù nǐ zhè xiǎo bu diǎn hái xiǎng gēn wǒ jiào liàng xiǎo bu diǎn gē
还有谁敢跟我比呀？嗯，就你这小不点，还想跟我较量？小不点，哥

ge ráo nǐ yòng yì gēn shǒu zhǐ tou dǎ hǎo bu hǎo āi yō nǐ lì qi zǎ bǐ niú hái dà dà gē ráo le wǒ
哥饶你用一根手指头打好不好？哎哟，你力气咋比牛还大？大哥，饶了我

ba xiǎo dì zhī dao cuò le wū wū wū píng guǒ gěi nǐ qiú nǐ bié dǎ wǒ le
吧，小弟知道错了。呜呜呜，苹果给你，求你别打我了。

早期三毛
只求一饱

bà ba mǎi le yí dà lán lí zi zhè xià wǒ yǒu hǎo kǒu fú le hng hái cáng qi lai bú ràng wǒ chī
爸爸买了一大篮梨子，这下我有好口福了。哼，还藏起来不让我吃。

ò yuán lái cáng zài dà yī guì li ya děng bà ba chū qu yǐ hòu wǒ jiù kě yǐ kāi huái dà chī le bà
哦，原来藏在大衣柜里呀。等爸爸出去以后，我就可以开怀大吃了。爸

ba zǒng suàn chū mén le wǒ qī dài yǐ jiǔ de shí kè zhōng yú lái lín zhēn guò yǐn ya wǒ de dù pí dōu kuài
爸总算出门了，我期待已久的时刻终于来临。真过瘾呀，我的肚皮都快

chēng pò le wǒ zài měi měi de shuì shang yí jiào ba
撑破了，我再美美地睡上一觉吧……

嘻嘻，跷跷板真好玩！小胖，你是不是很想玩啊，哼，不给你玩，我还要再玩一会呢！咦，河对面的小花真漂亮，我要把小花摘下来。小胖，帮帮忙，用跷跷板把我弹到那边去吧。哈哈，能摘到小花啦！可是，我怎么回去呀？呜呜……你们别只顾自己玩，帮帮我呀！

zhè jiù shì bà ba dāngnián de zhàopiàn a　shū zhe xiǎo fēn tóu hái mánshuài de ya　kě shì xiàn zài　āi
这就是爸爸当年的照片啊，梳着小分头还蛮帅的呀。可是现在，唉，

suì yuè cuī rén lǎo a　bà ba yì tóu wū hēi liàng lì de tóu fa xiàn zài yì gēn dōu bú shèng le　wǒ yí dìng yào
岁月催人老啊！爸爸一头乌黑靓丽的头发现在一根都不剩了，我一定要

bāng bà ba zhěngzhengróng　yònghuà bǐ gěi bà ba huà tóu fa ba　ng　zhēn bú lài　bà ba　kuài xǐng xing
帮爸爸整整容！用画笔给爸爸画头发吧。嗯，真不赖！爸爸，快醒醒，

zhàozhao jìng zi kàn kan　shuài bu shuài a
照照镜子看看，帅不帅啊？

tiān lěng le yào dài mào zi　　kě shì dài shang mào zi wǒ de sān gēn máo jiù kàn bu dào le ya　　méi you sān
天冷了要戴帽子，可是戴上帽子我的三根毛就看不到了呀！没有三

gēn máo wǒ hái jiào shén me sān máo ya　　āi yā　　máo dōu bèi mào zi yā wān le　　zhēn nán kàn　　wǒ yào bǎ zhè
根毛我还叫什么三毛呀。哎呀，毛都被帽子压弯了，真难看。我要把这

dǐng mào zi gǎi zào gǎi zào　　ná jiǎn dāo zài mào zi dǐng shang jiǎn gè dòng bú jiù chéng le　　tài hǎo le　　zhè xià dài
顶帽子改造改造。拿剪刀在帽子顶上剪个洞不就成了？太好了，这下戴

shang mào zi　　yě hěn hǎo kàn o
上帽子也很好看哦！

wèi shén me wǒ yì tiáo yú yě diào bu shàng lái　　nà ge shū shu què diàoshang lai　yì tiáo nà me dà de yú
为什么我一条鱼也钓不上来，那个叔叔却钓上来一条那么大的鱼

ne　zhēn shì qì shà wǒ yě　　kěn dìng yú dōu pǎo dào shū shu nà bian qù le　wǒ hé bù bǎ diào gān fàng dào tā
呢？真是气煞我也！肯定鱼都跑到叔叔那边去了。我何不把钓竿放到他

de shuǐ tǒng li　bǎ tā diàoshang lai de yú diào zǒu ne　duì　jiù zhè me bàn　hā hā　wǒ zhōng yú diào dào yú
的水桶里，把他钓上来的鱼钓走呢？对，就这么办！哈哈，我终于钓到鱼

luo　wǒ huí jiā luo
啰，我回家啰！

xiǎo mèi mei bié kū chūshén me shì le   zěn me   yǒu rén qī fu nǐ a   zǒu   gē ge zhǎo tā suànzhàng
小 妹 妹 别 哭，出 什 么 事 了？怎 么，有 人 欺 负 你 啊，走，哥 哥 找 他 算 账

qù guāngtiān huà rì zhī xià gǎn qī fu xiǎo mèi mei zhè rén chī le bào zi dǎn le   wǒ yào zòu tā yí dùn
去！光 天 化 日 之 下，敢 欺 负 小 妹 妹，这 人 吃 了 豹 子 胆 了！我 要 揍 他 一 顿，

kàn tā yǐ hòu hái gǎn bu gǎn qī fu rén   wā   hǎo dà de kuài tou   dà   gē   nǐ shì nǎ tiáo dàoshang
看 他 以 后 还 敢 不 敢 欺 负 人。哇，好 大 的 块 头！大 …… 哥，你 是 哪 条 道 上

de xiǎo   xiǎo dì wǒ yǒu yǎn bù shí Tài Shān wǒ   wǒ xiān gào cí le
的？小 …… 小 弟 我 有 眼 不 识 泰 山，我 …… 我 先 告 辞 了！

zhè li zhǐ yǒu yí gè píng guǒ wǒ xiǎng chī Niū niu yě xiǎng chī nà wǒ men jiù gōngping fēn pèi ba
这里只有一个苹果，我想吃，妞妞也想吃，那我们就公平分配吧。

chēng yi chēng kàn shì bu shì yí yàng dà ā zuǒ bian de tài zhòng le nà wǒ bǎ dà de chī diào yì kǒu
称一称，看是不是一样大。啊，左边的太重了，那我把大的吃掉一口。

zhè xià zi yòu bian de yòuzhòng le nà wǒ zài bǎ yòu bian de yě yǎo yì kǒu ba zǒngsuàngōngping le dàn
这下子右边的又重了，那我再把右边的也咬一口吧……总算公平了。但

shì zhǐshèngxia hé le Niū niu nǐ jiù jiāng jiù zhe chī ba
是只剩下核了，妞妞，你就将就着吃吧。

16

qiáo zhè Mǎnzhōuguóhuáng dì zhēn shì yòu shǎ yòu dāi yí kàn jiù zhī dào zhǐ néng dāng kuǐ lěi wǒ zuò dǐng zhǐ
瞧这"满洲国皇帝"真是又傻又呆，一看就知道只能当傀儡。我做顶纸

mào zi dàishangnǎi nai de lǎo huā jìng kě shì shàng nǎ zhǎo nà me dà de xiù zi ne yí wǒ kàn mā ma
帽子，戴上奶奶的老花镜。可是，上哪找那么大的袖子呢？咦，我看妈妈

de zhèshuāngxié jīng wǒ miàoshǒu gǎi zào gǎi zào hái shi mán yǒu qián tú de wǒ jiǎn wǒ jiǎn wǒ jiǎn jiǎn jiǎn
的这双鞋经我妙手改造改造还是蛮有前途的。我剪，我剪，我剪剪剪！

hā hā nǐ kàn wǒ dāi bu dāi ya
哈哈，你看我呆不呆呀！

āi yō   yòu yào liàn zì   wǒ zěn me nà me mìng kǔ ya   tài hǎo le   lǎo bà chū qu le   wǒ xiān
哎哟，又要练字，我怎么那么命苦呀。太好了，老爸出去了。我先

huà yí gè   mā ma   tóu shang huà jǐ gēn máo ne   jiù sì gēn ba   zài huà yí gè   bà ba   hēi hēi
画一个"妈妈"，头上画几根毛呢？就四根吧。再画一个"爸爸"，嘿嘿，

bà ba shì tū tóu   ā   nǎ lái de shǒu yìn   zāo le   mò zhī quán nòng shǒu shang le   bú yòng shuō liǎn shang kěn
爸爸是秃头。啊，哪来的手印，糟了，墨汁全弄手上了，不用说脸上肯

dìng yě cǎn bù rěn dǔ le   tài lèi le   wǒ hái shi xiān shuì gè jiào zài shuō
定也惨不忍睹了。太累了，我还是先睡个觉再说。

哎哎哎，干吗赶我出来呀，我也要当画家。叔叔到底在房间里做什

么呢，那么神秘？嘿嘿，被我偷看到了，叔叔在给一个光屁股的人画画。

哼，这有啥了不起，我也行！小孩，你快过来，我给你画画！你背过身去，

把开裆裤拉开，摆好姿势。我现在就是大画家啦！

tiān qì zhēn shì rè sǐ le　shān shàn zi ba　bù xíng　chuī diàn fēng shàn ba　hái shi rè　nà wǒ jiù biān
天气真是热死了，扇扇子吧，不行，吹电风扇吧，还是热，那我就边

chuī diàn fēng shàn biān zuò zài shuǐ pén li ba　kě shì　zěn me hái shi rè de shòu bu liǎo a　shén me guǐ tiān
吹电风扇边坐在水盆里吧。可是，怎么还是热得受不了啊。什么鬼天

qì　yí　zhè er bú shì yǒu bīng xiāng ma　zhè xià suàn shì zhǎo dào dà jiù xīng le
气！咦，这儿不是有冰箱吗？这下算是找到大救星了。

bīngxiāng kě shì xià tiān bì shǔ de zuì jiā chǎngsuǒ le   wǒ jiù duǒ dào bīngxiāng li ba   guāngduǒ bīngxiāng
冰 箱 可 是 夏 天 避 暑 的 最 佳 场 所 了 ， 我 就 躲 到 冰 箱 里 吧 。 光 躲 冰 箱

li hái bú gòu   rú guǒ bǎ shuǐ pénduān jìn qu   qǐ bú shì gèng jiā tòu xīn liáng   zhēn shì yí gè jué miào de gāo
里 还 不 够 ， 如 果 把 水 盆 端 进 去 ， 岂 不 是 更 加 透 心 凉 ？ 真 是 一 个 绝 妙 的 高

zhāo ya   ā   bù hǎo   bà ba   jiù   mìng wǒ   dòngchéng   bīngdiāo
招 呀 ！ 啊 ！ 不 好 ， 爸 爸 ， 救 …… 命 ， 我 …… 冻 成 …… 冰 雕 ……

xiàn zài dōu liú xíng juǎn fà le wǒ de sān gēn máo hái shi bǐ zhí bǐ zhí de tài luò wǔ rén jiā huì
现在都流行卷发了，我的三根毛还是笔直笔直的，太落伍，人家会

xiào hua wǒ shì lǎo tǔ de wǒ děi gǎi biàn gǎi biàn fà xíng zěn me tàng tóu fa ne jiǎn dān bǎ jiǎn dāo zài
笑话我是老土的。我得改变改变发型。怎么烫头发呢？简单。把剪刀在

là zhú shang kǎo rè le zài bǎ tóu fa juǎn shang qu bú jiù kě yǐ le hēi hēi wǒ de xīn fà xíng hái zhēn bú
蜡烛上烤热了，再把头发卷上去不就可以了？嘿嘿，我的新发型还真不

cuò ya wǒ shì bu shì hěn shuài
错呀。我是不是很帅？

Shèngdàn Jié yào dào le　chúchuāng li　de shèngdàn lǎo rén lèi de gòuqiàng　tā bēi le hǎo duōchángtǒng
圣 诞 节 要 到 了，橱 窗 里 的 圣 诞 老 人 累 得 够 呛。他 背 了 好 多 长 筒

wà zi　wà zi li sāi mǎn le huā huā lǜ lǜ de wán jù　zhè xiē dōu shì shèngdàn lǐ wù o　hēi hēi bà
袜 子，袜 子 里 塞 满 了 花 花 绿 绿 的 玩 具，这 些 都 是 圣 诞 礼 物 哦。嘿 嘿，爸

ba shuì jiào le　tā bǎchángwà zi dā zài le chuángshang　yǒu le　wǒ yào gěi bà ba yí gè jīng xǐ　bǎ wǒ
爸 睡 觉 了，他 把 长 袜 子 搭 在 了 床 上。有 了，我 要 给 爸 爸 一 个 惊 喜，把 我

zuì xǐ huan de wán jù sāi dào lǐ miàn　bà ba nǐ kàn　wǒ gěi nǐ de shèngdàn lǐ wù
最 喜 欢 的 玩 具 塞 到 里 面。爸 爸 你 看，我 给 你 的 圣 诞 礼 物。

xiǎo dì di hǎo kě lián　bèi ā yí dǎ de nà me cǎn　qī fu ér tóng zěn me xíng　wǒ yào lù jiàn bù
小弟弟好可怜，被阿姨打得那么惨。欺负儿童怎么行？我要路见不

píng bá dāo xiāng zhù　huǒ bàn men　kuài guò lai ya　wǒ gāng gāng kàn jian yǒu gè xiǎo dì di bèi rén dǎ le　wǒ
平，拔刀相助！伙伴们，快过来呀，我刚刚看见有个小弟弟被人打了，我

men tóng zǐ zhù ruò tuán yào xíng xiá zhàng yì　zán men gǎn kuài qù jiù jiu tā ba
们童子助弱团要行侠仗义。咱们赶快去救救他吧。

nǐ men kàn jiù shì zhè ge xiǎo dì di yí zhēn shì qí guài le zhè ge ā yí zěn me tū rán duì xiǎo
你们看，就是这个小弟弟。咦，真是奇怪了，这个阿姨怎么突然对小

dì di nà me hǎo a gāng cái wǒ jīng guò de shí hou què shí kàn dào tā zài dǎ xiǎo dì di ya jiù mìng
弟弟那么好啊，刚才我经过的时候，确实看到她在打小弟弟呀……救命，

dà jiā bié dǎ wǒ wǒ nǎ li zhī dao zhè ā yí shì tā mā ma ya āi wǒ lái bāng zhù rén kě shuí lái
大家别打我，我哪里知道这阿姨是他妈妈呀。唉，我来帮助人，可谁来

bāng zhù wǒ a
帮助我啊！

lǎo bà nǐ shì bu shì yào qù mǎi jiǔ a nà zhè yú bèi māo chī le zěn me bàn ne duì le bǎ māo
老爸，你是不是要去买酒啊，那这鱼被猫吃了怎么办呢？对了，把猫

shuān qi lai āi lǎo bà zěn me hái bù huí lai wǒ dù zi è de gū gū jiào le chī yì kǒu ba zhēn
拴起来。唉，老爸怎么还不回来，我肚子饿得咕咕叫了。吃一口吧，真

hǎo chī zài chī yì kǒu ba lǎo bà bú huì fā xiàn de ā quán chīguāng le māo lǎo dì wǒ xiān zǒu
好吃，再吃一口吧，老爸不会发现的。啊……全吃光了。猫老弟，我先走

le lǎo ba huí lai nǐ tì wǒ dǐngding ba nǐ de dà ēn dà dé wǒ bú huìwàng de
了，老爸回来你替我顶顶吧，你的大恩大德我不会忘的。

bà wǒ xiǎng chī píng guǒ hng yòu jiào wǒ bié chǎo nǐ yí kàn bào zhǐ jiù shuí dōu bù lǐ le bù gěi
爸，我想吃苹果。哼，又叫我别吵，你一看报纸就谁都不理了。不给

wǒ wǒ jiù kū chǎo sǐ nǐ wā wā wǒ yào chī píng guǒ wā wā zěn me zhè zhāo yě shī líng le
我，我就哭，吵死你。哇哇……我要吃苹果，哇哇……怎么这招也失灵了？

kàn lai wǒ fēi děi ná chu sā shǒu jiǎn bù kě le kàn nǐ de ěr duo lì hai hái shi wǒ de lǎ ba lì hai hā
看来我非得拿出撒手锏不可了，看你的耳朵厉害还是我的喇叭厉害！哈

hā qiáo jiàn le bù píng guǒ zhōng yú dào shǒu le yǒu zhì zhě shì jìng chéng a
哈，瞧见了不，苹果终于到手了！有志者事竟成啊！

xiǎo gǒu　xiǎo gǒu　nǐ bié pǎo　wǒ yí dìng yào zhuā zhù nǐ　kuāng dāng　ā yā　bù hǎo le
小狗，小狗，你别跑，我一定要抓住你。"哐当！"啊呀，不好了，

bǎ bà ba zuì xīn ài de tiān shǐ shí gāo xiàng shuāi huài le　zhè xià kě cǎn le　bà ba huí lai hòu　wǒ kěn dìng
把爸爸最心爱的天使石膏像摔坏了。这下可惨了，爸爸回来后，我肯定

shǎo bu liǎo yí dùn mà le　zhè yàng ba　wǒ bǎ yī fu tuō xia lai zhuāng chéng xiǎo tiān shǐ de yàng zi　shuō bu
少不了一顿骂了。这样吧，我把衣服脱下来装 成小天使的样子，说不

dìng jiù néng méng hùn guò guān ne　gǒu gǒu　nǐ bié shàng lai　bù rán wǒ jiù lòu xiàn la
定就能蒙混过关呢。狗狗，你别上来，不然我就露馅啦。

wǒ yào jǔ qi zhòngzhòng de gànglíng   zài pāizhāngzhào   zhèngmíng wǒ shì dà lì shì   yī èr sān
我 要 举 起 重 重 的 杠 铃，再 拍 张 照，证 明 我 是 大 力 士。一 二 三 ——

yī èr sān   āi   tài zhòng le   jǔ bu qǐ lái   yǒu bàn fǎ le   wǒ lái gè dào lì zī shì   gǎn jǐn pāi
一 二 三 …… 哎，太 重 了，举 不 起 来。有 办 法 了，我 来 个 倒 立 姿 势，赶 紧 拍

xia lai   zài bǎ xǐ hǎo de zhàopiàn dào guo lai   xiěshang   dà lì shì sān máo   kàn qi lai   hái zhēnxiàng nà
下 来，再 把 洗 好 的 照 片 倒 过 来，写 上 "大 力 士 三 毛"。看 起 来，还 真 像 那

me huí shì   kě shì   zhè tǎo yàn de xiǎo gǒu gàn má yàozhàn zài biānshanghuài wǒ de hǎo shì
么 回 事。可 是，这 讨 厌 的 小 狗 干 吗 要 站 在 边 上 坏 我 的 好 事？

<ruby>我<rt>wǒ</rt></ruby> <ruby>有<rt>yǒu</rt></ruby> <ruby>一<rt>yì</rt></ruby> <ruby>棵<rt>kē</rt></ruby> <ruby>苹<rt>píng</rt></ruby> <ruby>果<rt>guǒ</rt></ruby> <ruby>树<rt>shù</rt></ruby> <ruby>苗<rt>miáo</rt></ruby>，<ruby>种<rt>zhòng</rt></ruby> <ruby>下<rt>xia</rt></ruby> <ruby>去<rt>qu</rt></ruby> <ruby>就<rt>jiù</rt></ruby> <ruby>能<rt>néng</rt></ruby> <ruby>结<rt>jié</rt></ruby> <ruby>出<rt>chu</rt></ruby> <ruby>苹<rt>píng</rt></ruby> <ruby>果<rt>guǒ</rt></ruby> <ruby>来<rt>lái</rt></ruby>！<ruby>小<rt>xiǎo</rt></ruby> <ruby>苗<rt>miáo</rt></ruby> <ruby>儿<rt>er</rt></ruby>，<ruby>你<rt>nǐ</rt></ruby> <ruby>一<rt>yí</rt></ruby> <ruby>定<rt>dìng</rt></ruby> <ruby>要<rt>yào</rt></ruby> <ruby>快<rt>kuài</rt></ruby>

我有一棵苹果树苗，种下去就能结出苹果来！小苗儿，你一定要快

<ruby>快<rt>kuài</rt></ruby> <ruby>长<rt>zhǎng</rt></ruby> <ruby>大<rt>dà</rt></ruby> <ruby>哟<rt>yo</rt></ruby>，<ruby>长<rt>zhǎng</rt></ruby> <ruby>大<rt>dà</rt></ruby> <ruby>以<rt>yǐ</rt></ruby> <ruby>后<rt>hòu</rt></ruby> <ruby>要<rt>yào</rt></ruby> <ruby>结<rt>jié</rt></ruby> <ruby>出<rt>chu</rt></ruby> <ruby>又<rt>yòu</rt></ruby> <ruby>大<rt>dà</rt></ruby> <ruby>又<rt>yòu</rt></ruby> <ruby>红<rt>hóng</rt></ruby> <ruby>的<rt>de</rt></ruby> <ruby>苹<rt>píng</rt></ruby> <ruby>果<rt>guǒ</rt></ruby>。<ruby>我<rt>wǒ</rt></ruby> <ruby>来<rt>lái</rt></ruby> <ruby>给<rt>gěi</rt></ruby> <ruby>你<rt>nǐ</rt></ruby> <ruby>浇<rt>jiāo</rt></ruby> <ruby>水<rt>shuǐ</rt></ruby>，<ruby>让<rt>ràng</rt></ruby> <ruby>你<rt>nǐ</rt></ruby> <ruby>喝<rt>hē</rt></ruby> <ruby>得<rt>de</rt></ruby>

快长大哟，长大以后要结出又大又红的苹果。我来给你浇水，让你喝得

<ruby>饱<rt>bǎo</rt></ruby> <ruby>饱<rt>bǎo</rt></ruby> <ruby>的<rt>de</rt></ruby>，<ruby>你<rt>nǐ</rt></ruby> <ruby>可<rt>kě</rt></ruby> <ruby>不<rt>bú</rt></ruby> <ruby>要<rt>yào</rt></ruby> <ruby>辜<rt>gū</rt></ruby> <ruby>负<rt>fù</rt></ruby> <ruby>了<rt>le</rt></ruby> <ruby>我<rt>wǒ</rt></ruby> <ruby>的<rt>de</rt></ruby> <ruby>一<rt>yí</rt></ruby> <ruby>片<rt>piàn</rt></ruby> <ruby>苦<rt>kǔ</rt></ruby> <ruby>心<rt>xīn</rt></ruby> <ruby>呀<rt>ya</rt></ruby>。<ruby>我<rt>wǒ</rt></ruby> <ruby>等<rt>děng</rt></ruby> <ruby>等<rt>děng</rt></ruby>，<ruby>等<rt>děng</rt></ruby>…… <ruby>好<rt>hǎo</rt></ruby> <ruby>累<rt>lèi</rt></ruby> <ruby>啊<rt>a</rt></ruby>，<ruby>我<rt>wǒ</rt></ruby>

饱饱的，你可不要辜负了我的一片苦心呀。我等，等，等……好累啊，我

<ruby>先<rt>xiān</rt></ruby> <ruby>睡<rt>shuì</rt></ruby> <ruby>一<rt>yí</rt></ruby> <ruby>会<rt>huì</rt></ruby>

先睡一会。

wā xiǎomiáo er tū ránzhǎng dà le zhǎngchéng le yì kē xiǎo guǒ shù bù yí huì er shùshangbiàn jié
哇，小苗儿突然长大了，长成了一棵小果树。不一会儿，树上便结

le gè yòu dà yòuhóng de píng guǒ zhēn shì yòu rén a wǒ de kǒu shuǐ dōu kuài liú xia lai le āi yā píng
了个又大又红的苹果，真是诱人啊！我的口水都快流下来了。哎呀，苹

guǒ diào xia lai zá zhe wǒ de tóu le hǎotòng ǹg gāngcái shì zuòmèng bù hǎo xiǎoniǎo bǎ xiǎomiáo er xián
果掉下来砸着我的头了。好痛！嗯，刚才是做梦？不好，小鸟把小苗儿衔

zǒu le bié zǒu a huán wǒ de xiǎomiáo er
走了。别走啊，还我的小苗儿！

xiǎomiáo er　wǒ bǎ nǐ zhòngzài huā pén li　xì xīn de zhào gù nǐ　nǐ yí dìng yào kuài kuàizhǎng dà o
小 苗 儿，我 把 你 种 在 花 盆 里，细 心 地 照 顾 你，你 一 定 要 快 快 长 大 哦。

āi yā　xiǎomiáo er zěn me kū le ya　dōu guài jīn tiān de tài yáng tài lì hai　xiǎomiáo er　nǐ bié dān xīn
哎 呀，小 苗 儿 怎 么 枯 了 呀，都 怪 今 天 的 太 阳 太 厉 害。小 苗 儿，你 别 担 心，

wǒ zhè jiù gěi nǐ jiāo shuǐ　nǐ hē le shuǐ yǐ hòu jiù huì hǎo de
我 这 就 给 你 浇 水，你 喝 了 水 以 后 就 会 好 的。

wú shuǐ lóng tóu li zěn me méi liú chū shuǐ lai ne jīn tiān tíng shuǐ a tiān na wǒ zěn me zhè me dǎo
唔，水龙头里怎么没流出水来呢？今天停水啊，天哪，我怎么这么倒

méi ya wū wū wū wū xiǎo miáo er nǐ qiān wàn bù néng sǐ a wū wū wū wū yí tài shén qí
霉呀。呜呜呜呜……小苗儿，你千万不能死啊。呜呜呜呜……咦，太神奇

le wǒ de yǎn lèi jìng rán bǎ xiǎo miáo er jiù huó le
了，我的眼泪竟然把小苗儿救活了！

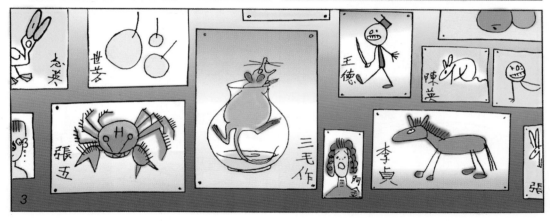

xué xiào jǔ bàn tú huà jìng sài　　guàn jūn hái néng dé dào dà jiǎng bēi yì zhī ne　　hā hā　　zhè cì de tú
学校举办图画竞赛，冠军还能得到大奖杯一只呢。哈哈，这次的图

huà bǐ sài　　guàn jūn fēi wǒ mò shǔ　　qí tā rén de huà dōu tài cū cāo　　tù zi huà de gēn lǎo shǔ yí yàng
画比赛，冠军非我莫属。其他人的画都太粗糙，兔子画得跟老鼠一样，

xiǎo hái huà de gēn yāo guài yí yàng　　kàn kan wǒ de zhè fú tú huà　　gòu sī qiǎo miào　　bǎ lǎo shǔ huà de duō
小孩画得跟妖怪一样。看看我的这幅图画，构思巧妙，把老鼠画得多

xiàng ya
像呀。

guǒ rán bù chū wǒ suǒ liào　wǒ dēngshang le guàn jūn de bǎo zuò　lǎo shī fā gěi wǒ yì zhī dà jiǎng bēi
果然不出我所料，我登上了冠军的宝座。老师发给我一只大奖杯，

hǎo kāi xīn ya　zāo gāo　shì shuí jiē chuān le wǒ de xiǎo bǎ xì　gào su lǎo shī wǒ de huà shì cóng tú huà shū
好开心呀！糟糕，是谁揭穿了我的小把戏，告诉老师我的画是从图画书

lǐ jiǎn xia lai de　tiān na　kuài pǎo a　bié ràng tā men qiǎng zǒu le wǒ de dà jiǎng bēi
里剪下来的？天哪，快跑啊，别让他们抢走了我的大奖杯！

hng nǐ mà wǒ dǎn zi bù xiǎo ma wǒ jiào pàng zi lái dǎ nǐ tā de lì qi kě dà le pàng
哼,你骂我?胆子不小嘛,我叫胖子来打你,他的力气可大了!"胖

zi gē ge gāng cái nà ge nán hái mà wǒ wǒ bǎ zhè ge píng guǒ sòng gěi nǐ chī nǐ bāng wǒ hǎo hǎo jiào xun
子哥哥,刚才那个男孩骂我。我把这个苹果送给你吃,你帮我好好教训

jiào xun tā hǎo bu hǎo hēi hēi dǎ de hǎo dǎ de hǎo zāo le wǒ bù zhī bù jué jìng rán bǎ píng
教训他,好不好?"嘿嘿,打得好,打得好!糟了,我不知不觉竟然把苹

guǒ chī le
果吃了。

啊，救命啊，胖子哥哥，求求你住手啊！"小哥哥，你帮我打那个胖子好不好？"怎么，你要两个苹果？好吧，给你。嗯……哼，可恶，你们俩把苹果分着吃了，我这下可是亏大了！

xiān jú shuǐ měi píng tóng yuán liù méi hǎo guì ya āi kàn lai wǒ shì hē buchéng le wǒ zhǐ yǒu yì
鲜橘水每瓶铜元六枚，好贵呀。唉，看来我是喝不成了，我只有一
méi tóng yuán ya děng wǒ yǒu qián le wǒ yí dìng yào yí cì hē gè gòu yí zhè li yǒu gè mài jú zi de
枚铜元呀。等我有钱了，我一定要一次喝个够。咦，这里有个卖橘子的
shū shu yí gè jú zi zhǐ yào yì méi tóng yuán nà wǒ jiù mǎi yí gè jú zi ba
叔叔，一个橘子只要一枚铜元，那我就买一个橘子吧。

zhè ge jú zi yòngchù kě jiù dà le

这个橘子用处可就大了。我把橘子泡在水里，制成冒牌的鲜橘水，

一铜元一杯卖出去。哈哈，生意真好，一会儿我就赚足了钱。我买了好

多好多瓶真正的鲜橘水，可以敞开肚子喝个痛快啦！

<ruby>让<rt>ràng</rt></ruby> <ruby>我<rt>wǒ</rt></ruby> <ruby>看<rt>kàn</rt></ruby> <ruby>看<rt>kan</rt></ruby> <ruby>剧<rt>jù</rt></ruby> <ruby>本<rt>běn</rt></ruby>。<ruby>哦<rt>ō</rt></ruby>，<ruby>剧<rt>jù</rt></ruby> <ruby>本<rt>běn</rt></ruby> <ruby>上<rt>shang</rt></ruby> <ruby>写<rt>xiě</rt></ruby> <ruby>男<rt>nán</rt></ruby> <ruby>主<rt>zhǔ</rt></ruby> <ruby>角<rt>jué</rt></ruby> <ruby>和<rt>hé</rt></ruby> <ruby>女<rt>nǚ</rt></ruby> <ruby>主<rt>zhǔ</rt></ruby> <ruby>角<rt>jué</rt></ruby> <ruby>感<rt>gǎn</rt></ruby> <ruby>情<rt>qíng</rt></ruby> <ruby>深<rt>shēn</rt></ruby> <ruby>厚<rt>hòu</rt></ruby>。<ruby>怎<rt>zěn</rt></ruby> <ruby>么<rt>me</rt></ruby> <ruby>才<rt>cái</rt></ruby>

让我看看剧本。哦，剧本上写男主角和女主角感情深厚。怎么才

<ruby>算<rt>suàn</rt></ruby> <ruby>感<rt>gǎn</rt></ruby> <ruby>情<rt>qíng</rt></ruby> <ruby>深<rt>shēn</rt></ruby> <ruby>厚<rt>hòu</rt></ruby> <ruby>呢<rt>ne</rt></ruby>？<ruby>这<rt>zhè</rt></ruby> <ruby>个<rt>ge</rt></ruby> <ruby>问<rt>wèn</rt></ruby> <ruby>题<rt>tí</rt></ruby> <ruby>嘛<rt>ma</rt></ruby>，<ruby>有<rt>yǒu</rt></ruby> <ruby>点<rt>diǎn</rt></ruby> <ruby>复<rt>fù</rt></ruby> <ruby>杂<rt>zá</rt></ruby>，<ruby>让<rt>ràng</rt></ruby> <ruby>我<rt>wǒ</rt></ruby> <ruby>好<rt>hǎo</rt></ruby> <ruby>好<rt>hāo</rt></ruby> <ruby>想<rt>xiǎng</rt></ruby> <ruby>一<rt>yi</rt></ruby> <ruby>想<rt>xiǎng</rt></ruby>。<ruby>有<rt>yǒu</rt></ruby> <ruby>了<rt>le</rt></ruby>。"<ruby>妞<rt>Niū</rt></ruby> <ruby>妞<rt>niu</rt></ruby>，

算感情深厚呢？这个问题嘛，有点复杂，让我好好想一想。有了。"妞妞，

<ruby>过<rt>guò</rt></ruby> <ruby>来<rt>lai</rt></ruby>，<ruby>波<rt>bō</rt></ruby> <ruby>儿<rt>er</rt></ruby> <ruby>一<rt>yí</rt></ruby> <ruby>个<rt>gè</rt></ruby>！"<ruby>一<rt>yí</rt></ruby> <ruby>定<rt>dìng</rt></ruby> <ruby>要<rt>yào</rt></ruby> <ruby>用<rt>yòng</rt></ruby> <ruby>力<rt>lì</rt></ruby> <ruby>哦<rt>o</rt></ruby>，<ruby>不<rt>bù</rt></ruby> <ruby>然<rt>rán</rt></ruby> <ruby>就<rt>jiù</rt></ruby> <ruby>不<rt>bú</rt></ruby> <ruby>算<rt>suàn</rt></ruby> <ruby>感<rt>gǎn</rt></ruby> <ruby>情<rt>qíng</rt></ruby> <ruby>深<rt>shēn</rt></ruby> <ruby>厚<rt>hòu</rt></ruby>。<ruby>哎<rt>āi</rt></ruby> <ruby>哟<rt>yō</rt></ruby> <ruby>哎<rt>āi</rt></ruby> <ruby>哟<rt>yō</rt></ruby>，<ruby>你<rt>nǐ</rt></ruby>

过来，波儿一个！"一定要用力哦，不然就不算感情深厚。哎哟哎哟，你

<ruby>们<rt>men</rt></ruby> <ruby>别<rt>bié</rt></ruby> <ruby>拽<rt>zhuài</rt></ruby> <ruby>我<rt>wǒ</rt></ruby> <ruby>呀<rt>ya</rt></ruby>，<ruby>我<rt>wǒ</rt></ruby> <ruby>们<rt>men</rt></ruby> <ruby>演<rt>yǎn</rt></ruby> <ruby>得<rt>de</rt></ruby> <ruby>正<rt>zhèng</rt></ruby> <ruby>投<rt>tóu</rt></ruby> <ruby>入<rt>rù</rt></ruby> <ruby>呢<rt>ne</rt></ruby>！

们别拽我呀，我们演得正投入呢！

有人卖橄榄，买个尝 尝吧。呸，什么橄榄呀，那么苦，难吃死了，还浪费了我的钱。把它扔到下水道里算了。咦，现在怎么觉得刚才吃的那口橄榄变甜了，越嚼越好吃？我一定要不惜一切代价把刚才扔掉的橄榄捞上来。我来个"倒挂金钩"怎么样？

ér tóng jiàn kāng bǐ sài guàn jūn　hā hā　nǐ zhè fù mú yàng jiù néng dāng guàn jūn　yě méi shén me liǎo bu
儿童健康比赛冠军？哈哈，你这副模样就能当冠军，也没什么了不

qǐ de　bǐ wǒ chà yuǎn le ne　qiáo qiao　wǒ zhè cái jiào jī ròu，hēi hēi　huí jiā zhào jìng zi　zài zǐ xì
起的，比我差远了呢！瞧瞧，我这才叫肌肉！嘿嘿，回家照镜子，再仔细

xīn shǎng xīn shǎng　chuān zhe yī fu yě kàn bu chū shén me míng táng　bǎ yī fu tuō le suàn le
欣赏欣赏。穿着衣服也看不出什么名堂，把衣服脱了算了。

zěn me huí shì ya　tuō le yī fu yí kàn　shēnshangjiǎn zhí chú le pí jiù shì gǔ tou　wǒ zěn me yuè
怎么回事呀，脱了衣服一看，身上简直除了皮就是骨头。我怎么越

kàn zì jǐ yuèxiàngpái gǔ ya　tiān na　jiǎn zhí lián pái gǔ dōu bù rú ne　tǎo yàn de jìng zi　wǒ zài yě
看自己越像排骨呀！天哪，简直连排骨都不如呢。讨厌的镜子，我再也

bú yào kàn dào nǐ le　zá suì nǐ　zá suì nǐ
不要看到你了，砸碎你，砸碎你！

wǒ yǒu xīn yǔ yī le hǎo kāi xīn a chuānshangshì shi hēi hēi bú dà bù xiǎo zhèng hé shì
我有新雨衣了，好开心啊！穿上试试，嘿嘿，不大不小，正合适！

chuāngěi xiǎo huǒ bàn men kàn tā men kěn dìng huì xiàn mù sǐ de kě shì zěn me lǎo shì bú xià yǔ ya wǒ
穿给小伙伴们看，他们肯定会羡慕死的。可是，怎么老是不下雨呀，我

de piàoliang yǔ yī hé shí cái néng pàishangyòngchang ne jí sǐ wǒ le lǎo tiān bú xià yǔ wǒ jiù lái gè
的漂亮雨衣何时才能派上用场呢，急死我了。老天不下雨，我就来个

rén gōng jiàng yǔ qiáo wǒ duōshuài a nǐ men dōu bǐ bu guò wǒ ba
"人工降雨"！瞧我多帅啊，你们都比不过我吧！

44

zhè ge tǐ zhòng chèng zhēn yǒu yì si wǒ yě yào chēng cheng tǐ zhòng zhǐ zhēn dòng le ye shì duō shao
这个体重秤真有意思，我也要称称体重。指针动了耶，是多少，

sān bǎi zěn me kě néng wǒ nǎ yǒu zhè me zhòng gū jì shì zhè xiē yī fu tài zhòng le wǒ bǎ yī fu quán
三百？怎么可能，我哪有这么重！估计是这些衣服太重了，我把衣服全

tuō le kàn kan āi yā bú kàn bù zhī dao yí kàn xià yí tiào wǒ de tǐ zhòng shì —— líng
脱了看看。哎呀，不看不知道，一看吓一跳，我的体重是——零？！

guó nàn yánzhòng fán wǒ tóngbāo yì xīn yì dé kuāng jiù shí nàn bù hǎo huàshang de lǎo hǔ yào
"国难严重，凡我同胞，一心一德，匡救时难。"不好，画上的老虎要

bǎ wǒ men guó jiā tūn le huǒ bàn men kuài guò lai ya dà jiā dōu chāo qǐ jiā huo lai bǎ zhè zhī lǎo hǔ dǎ
把我们国家吞了。伙伴们，快过来呀，大家都抄起家伙来，把这只老虎打

gè xī bā làn wǒ men yào yì xīn yì dé bǎo wèi zǔ guó
个稀巴烂！我们要一心一德，保卫祖国！

看，就是这只老虎，要吞掉我们国家。我们把它撕碎，看它还敢不

敢张狂！啊呀……警察叔叔，我们不是捣乱分子，我们要保卫国家！干

吗把我们关起来，还用冷水浇我们，我们爱国还有罪啊？

jīn tiān shì shí yuè shí rì Shuāngshí Jié   wàimian kě zhēn rè nao ya   dào chùzhāngdēng jié cǎi   hēi hēi
今天是十月十日"双十节"，外面可真热闹呀，到处张灯结彩。嘿嘿，

hái yǒu gè hěn dà deshuāngshí xíngzhuàngde jià zi   shàngmianshuān zhe qí zi   zhēngòu qì pài de   wǒ menxiǎo
还有个很大的双十形状的架子，上面拴着旗子，真够气派的。我们小

hái zi yě yào qìng zhù yí xià o   kě shì cóng nǎ er zhǎoshuāngshí jià zi ne
孩子也要庆祝一下哦。可是从哪儿找 双十架子呢？

duì le   yǒu bàn fǎ le   mù dì li yǒu hěn duō shí zì jià ya   huǒ bàn men   dà jiā ná shang tiě xiān

对 了，有 办 法 了，墓 地 里 有 很 多 十 字 架 呀。伙 伴 们，大 家 拿 上 铁 锹，

dōu gēn wǒ lái   wǒ men yě kě yǐ rè re nào nào de guò yí gè Shuāng shí Jié   le   qìng zhù qìng zhù   Shuāng

都 跟 我 来。我 们 也 可 以 热 热 闹 闹 地 过 一 个 "双 十 节" 了。庆 祝 庆 祝，"双

shí kuài lè   wā   jǐng chá shū shu   nǐ bié zhuā wǒ men   wǒ men shì zài guò jié ya

十" 快 乐！哇，警 察 叔 叔，你 别 抓 我 们，我 们 是 在 过 节 呀！

Wáng xiānsheng yòu zài qǐng zhè ge piàoliang jiě jie chī dōng xi le　　hǎo yòu rén de píng guǒ a　　āi yō
王 先 生 又 在 请 这 个 漂 亮 姐 姐 吃 东 西 了。好 诱 人 的 苹 果 啊，哎 哟，

kǒu shuǐ dōu liú xià lai le　wǒ děi xiǎng gè bàn fǎ bǎ tā men zhī zǒu píng guǒ jiù shǔ yú wǒ le　　Wáng xiānsheng
口 水 都 流 下 来 了。我 得 想 个 办 法 把 他 们 支 走，苹 果 就 属 于 我 了。"王 先 生，

nǐ zěn me hái zài zhè li ya　　nà bian Wáng shī mǔ lái le　　hā hā　shàng dàng le ba　ng　zhēn hǎo chī
你 怎 么 还 在 这 里 呀，那 边 王 师 母 来 了！"哈 哈，上 当 了 吧！嗯，真 好 吃

a　zài chī yí gè　hēi hēi　wǒ yào bǎ zhè xiē píng guǒ quán bù chī guāng
啊，再 吃 一 个。嘿 嘿，我 要 把 这 些 苹 果 全 部 吃 光！

dí rén lái jìn fàn　　wǒ menquán bù Sānmáo qí shàngzhèn　liǎng gè Sānmáokáng dà qí　hái yǒuliǎng gè chuī
敌人来进犯，我们全部三毛齐上阵。两个三毛扛大旗，还有两个吹

hào dǎ gǔzhuàngshēngshì　　duì wěi Sānmáohēng chī hēng chī tuō dà pào　　qí yú Sānmáokángzhe bù qiāngwǎngqián
号打鼓壮　声势，队尾三毛哼哧哼哧拖大炮，其余三毛扛着步枪往前

gǎn　Sānmáomen xióng jiū jiū　qì áng áng　mài kai dà bù shàngqián xiàn　　zán men Sānmáo jūn tuánzhēnshén qì
赶。三毛们，雄赳赳，气昂昂，迈开大步上前线。咱们三毛军团真神气，

dìng bǎ dí rén tǒngtǒngxiāo miè diào
定把敌人统统消灭掉！

《战乱中的三毛》（1938年）

　　1937年，抗日战争爆发了。上海一群热血的漫画家，怀着热爱祖国、保卫家园的志愿，成立了救亡漫画宣传队，张乐平爷爷担任副领队，后来又当上了奔赴前线的漫画队队长。他们离开上海，到各地进行宣传，用他们的画笔和敌人作斗争。

　　1938年，三毛在武汉的《抗战漫画》杂志上露面了，这时的三毛竟也扛起大刀，要去战场杀敌呢。后来张爷爷忙着画其他漫画，进行抗战宣传，没有时间画三毛漫画了。于是，三毛只得与大家暂时分别，这一别就是八年。

　　张乐平爷爷带着漫画宣传队战斗在中国各省各地，几乎走遍了大半个中国。漫画队的宣传画鼓舞了群众，打击了敌人，发挥了很大的作用。

Sānmáo xiǎng qù dāngbīng dǎ guǐ zi　　zhēngbīng de rén kàn le kàn tā　shuō　　nǐ bù xíng　nián jì tài
三毛想去当兵打鬼子。征兵的人看了看他，说："你不行，年纪太

xiǎo le　　Sānmáo bù fú qì le　　nián jì xiǎo zěn me le　　zhǐ yào yǒu lì qi jiù xíng　　tā ná qi dà
小了。"三毛不服气了："年纪小怎么了，只要有力气就行！"他拿起大

dāo　duì zhe dà shù gàn jiù kǎn　shuā de yì shēng liǎng kē dà shù yìngshēngdǎo dì　　Sānmáo zuǐ li hái niàn dao
刀，对着大树干就砍，刷的一声，两棵大树应声倒地。三毛嘴里还念叨

zhe　　wǒ bú xìn Dōngyáng guǐ zi de jǐng zi bǐ shù gàn hái yìng
着："我不信东洋鬼子的颈子比树干还硬！"

Sānmáo céng jīng yǒu gè hěn xìng fú de jiā tíng　bà ba mā ma dōu hěn téng ài tā　měi tiān　Sānmáo dōu
三毛曾经有个很幸福的家庭，爸爸妈妈都很疼爱他。每天，三毛都

zài bà ba mā ma de péi tóng xia qù shàng xué　fàng le xué jiù dào tián yě li mù niú　zhí dào yǒu yì tiān　guǐ
在爸爸妈妈的陪同下去上学，放了学就到田野里牧牛。直到有一天，鬼

zi jìn cūn lái le　tā men shāo shā qiǎng lüè　wú è bú zuò　bà ba mā ma bèi guǐ zi dǎ sǐ le　Sānmáo
子进村来了，他们烧杀抢掠，无恶不作。爸爸妈妈被鬼子打死了。三毛

cóng cǐ chéng le gū ér
从此成了孤儿。

Sānmáo zhǐ dé gēn zhe shū fù táowǎng hòu fāng bù jiǔ shū fù biàn tóu jūn qù le lín xíng qián tā
三毛只得跟着叔父逃往后方。不久，叔父便投军去了。临行前，他

yī yī bù shě de duì Sānmáo shuō shū fù bù néng zhào gù nǐ le nǐ yǐ hòu yí dìng yào hǎo hǎo zhào gù zì
依依不舍地对三毛说："叔父不能照顾你了，你以后一定要好好照顾自

jǐ ya Sānmáo yí gè rén jì xù wǎng qián zǒu dù zi è le tā biàn dào qiánmian de xiǎo cūnzhuāng qù tǎo
己呀。"三毛一个人继续往前走，肚子饿了，他便到前面的小村庄去讨

diǎn chī de dàn shì cūn li de rén bù lǐ cǎi tā
点吃的。但是村里的人不理睬他。

Sān máo è zhe dù zi jì xù zǒu　　zài cūn kǒu yù jian le　yì qún xiǎo xué shēng　tā bǎ zì jǐ de bēi cǎn
三毛饿着肚子继续走，在村口遇见了一群小学生，他把自己的悲惨

jīng lì gào su le dà jiā　　tā men tīng hòu　huī dòng zhe xiǎo quán tou shuō　　yí dìng yào bǎ guǐ zi tǒng tǒng gǎn
经历告诉了大家。他们听后，挥动着小拳头说："一定要把鬼子统统赶

chu qu　　　tā men mǎ shàng chéng lì le yí gè xuān chuán duì　bìng tuī xuǎn Sān máo dāng duì zhǎng　cūn li de zhuàng
出去！"他们马上成立了一个宣传队，并推选三毛当队长。村里的壮

nián rén tīng le xuān chuán　qún qíng jī fèn　fēn fēn bào míng cān jūn
年人听了宣传，群情激愤，纷纷报名参军。

《战后的三毛》（1946 年）

抗战胜利后，张乐平爷爷回到了上海，满心希望能看到一个崭新的上海，但是眼前的情景让他失望了。有钱人整日花天酒地、大吃大喝，而穷人没饭吃，没衣穿，更没有房子住，许多小孩子流落街头，成了流浪儿。当时的政府对这样的状况也没有办法，甚至不管不问。

"这是什么世道呀！"张爷爷愤怒了。他重新画起了三毛漫画，1946 年 4 月，三毛离开八年后，又出现在上海的报刊上了。张乐平爷爷接连发表了多幅三毛漫画，以三毛这个小孩子的眼光来打量这个充满不公的社会，也借助三毛这个小人物形象来讽刺社会。

这时的三毛已经超越了仅仅逗趣的层次，具有了更加深刻的社会意义。

Sānmáo kàn dào chúchuāng li yí jiàn piàoliang de wài tào "bà ba gěi wǒ mǎi yí jiàn ba" Sānmáo
三毛看到橱窗里一件漂亮的外套。"爸爸，给我买一件吧！"三毛

yāng qiú dào yào wànyuán jiù bì ya wǒ méi qián bà ba bù tóng yì Sānmáo kū zhe nào zhe bù
央求道。"要3万元（旧币）呀，我没钱！"爸爸不同意。三毛哭着闹着不

kěn zǒu yào bà ba gěi tā mǎi yī fu bà ba shēng qì le bù yóu fēn shuō jiù bǎ Sānmáo tuō zǒu le tā
肯走，要爸爸给他买衣服。爸爸生气了，不由分说，就把三毛拖走了。他

men kàn jiàn qiáng shang tiē le yí gè gào shì huáng jīn gāo zhǎng bù xī
们看见墙上贴了一个告示：黄金高涨不息……

bà ba jiàn le cǐ gào shì lì kè méi kāi yǎn xiào hā hā yǒu bàn fǎ le tā bǎ Sānmáo lā dào
爸爸见了此告示立刻眉开眼笑："哈哈，有办法了！"他把三毛拉到

le dàng pū pángbiān bǎ Sānmáo de yī fu tuō le zhǐshèng le gè xiǎo kù chà bà ba bǎ zì jǐ dechángshān
了当铺旁边，把三毛的衣服脱了，只剩了个小裤衩。爸爸把自己的长衫

yě tuō xia lai lián tóngSānmáo de yī fu yì qǐ ná dàodàng pū li dàng le huàn le wànyuánqián
也脱下来，连同三毛的衣服一起拿到当铺里当了，换了4万元钱。

Sān máo hé bà ba ná zhe zhè wànyuán qián mǎi le yí gè jīn jiè zhǐ dàngwǎn tā men zài bào zhǐshang
三毛和爸爸拿着这4万元钱买了一个金戒指。当晚，他们在报纸上

yòu fā xiàn le yí gè tè dà xǐ xùn huáng jīn bàozhǎng hā hā zhè xià wǒ men kě fā cái la tā
又发现了一个特大喜讯：黄金暴涨……"哈哈，这下我们可发财啦！"他

men mèngjiàn zì jǐ chuānshang le piàoliang de yī fu hǎo fēngguāng ya zǎoshang qǐ chuáng bà ba qǔ chūdàng
们梦见自己穿上了漂亮的衣服，好风光呀！早上起床，爸爸取出当

piào wǒ men nà me yǒu qián le hái liú zhe tā gàn má shāodiàosuàn le
票："我们那么有钱了，还留着它干吗，烧掉算了。"

bà ba yòu bǎ jīn jiè zhǐ huàn chéng wàn yuán qián　bà ba pěng zhe hòu hòu yì dié qián　lè hē hē de xiǎng
爸爸又把金戒指换成7万元钱。爸爸捧着厚厚一叠钱，乐呵呵地想：

zhè xià Sān máo yào mǎi de yī fu shì bù chéng wèn tí le　wǒ men de shēng huó yě néng hǎo hǎo gǎi shàn gǎi shàn
"这下三毛要买的衣服是不成问题了，我们的生活也能好好改善改善

la　Sān máo de xīn li gèng shì lè kāi le huā　bú liào yuán xiān nà jiàn yī fu zhǎng chéng le　wàn yuán
啦。"三毛的心里更是乐开了花。不料，原先那件衣服涨成了"8万元"，

fù zǐ liǎ shǎ yǎn le　méi bàn fǎ　tā men zhǐ néng chuān pò yī làn shān le
父子俩傻眼了，没办法，他们只能穿破衣烂衫了。

Sānmáo xīn xiǎng wǒ zhǐ guǎn zì jǐ zǒu lù jiù xíng le qí tā shá shì dōu bú yòng guǎn tā kàn dào liǎng
三毛心想：我只管自己走路就行了，其他啥事都不用管。他看到两

zhī gǒu zài dǎ jià fǎn zhèng bú shì dǎ wǒ bù guǎn tā kàn jian yǒu rén diào xià shuǐ zài hū jiù guǎn
只狗在打架，"反正不是打我，不管！"他看见有人掉下水在呼救，"管

wǒ shén me shì bù guǎn liǎng zhī yáng zài dòu jià bù guǎn huài dàn zài qiǎng qián hái shi bù
我什么事？不管！"两只羊在斗架，"不管！"坏蛋在抢钱，"还是不

guǎn
管！"

dà lóu shī huǒ le　yǒu rén hǎn　jiù mìng　Sānmáo gēn méi tīng jian shì de　liǎng rén zài dǎ jià　Sān
大楼失火了，有人喊"救命"，三毛跟没听见似的。两人在打架，三

máocóng tā liǎ zhōngjiānchuānguo qu　nǐ dǎ nǐ de jià　wǒ zǒu wǒ de lù　pángbiān de fáng zi kuài yào
毛从他俩中间穿过去，"你打你的架，我走我的路。"旁边的房子快要

dǎo tā le　Sānmáo mù bù xié shì　yǒu rén zài biǎo yǎn zǒugāng sī　gāng sī dǎngzhù le Sānmáo de qù lù
倒塌了，三毛目不斜视。有人在表演走钢丝，钢丝挡住了三毛的去路，

Sānmáoxiǎng　　wǒ cái bù guǎn ne　dǎng le wǒ de lù wǒ jiù yào jiǎn diào tā
三毛想："我才不管呢，挡了我的路我就要剪掉它。"

Sānmáo zhǐ zheqiángshang tiē de zhàopiàn wèn bó bo　　zhè xiē shì shén me rén ya　　bó bo shuō　　zhè
三毛 指着 墙 上 贴 的 照片 问 伯伯:"这些 是 什么 人 呀?"伯伯说:"这

dōu shì cān jiā jìngxuǎn de　　shuí yàonéngdāngshangcān yì yuán　　jiù néng hū fēnghuàn yǔ la　　Sānmáo yì xiǎng
都 是 参加 竞选 的,谁 要 能 当 上 参议员,就 能 呼 风 唤 雨 啦!"三毛 一 想,

zhè kě shì gè hǎochāi shi　　tā bǎ xiǎo huǒ bànmenzhāo lai　　gěi tā menměi rén fā le lǎ ba　　mù yú děng
这 可是 个 好差 事。他 把 小 伙 伴们招 来,给 他 们每 人 发 了 喇叭、木鱼 等,

yòu ná bǐnggān gěi tā men chī　　yào tā men wèi zì jǐ zuò jìngxuǎnxuānchuán
又 拿 饼 干 给 他 们 吃,要 他 们 为 自 己 做 竞选 宣 传。

Sānmáo de jìngxuǎn yí zhàngduì qiāo luó dǎ gǔ shēngshì hào dà Sānmáo tǐng zhexiōng áng zhe tóu
三毛的"竞选仪仗队"敲锣打鼓，声势浩大。三毛挺着胸，昂着头，

bié tí yǒu duōshén qi le zài kàn kan tā bēi de mù bǎnshangxiě de jiǎn lì xué lì yòu zhì yuán bì
别提有多神气了！再看看他背的木板上写的"简历"："学历：幼稚园毕

yè jīng lì diē die de ér zi mā ma de Sānmáo lǐ fà diàn de xué tú dà fā lǐ shí sān hào gé lóu
业。经历：爹爹的儿子，妈妈的三毛，理发店的学徒，大发里十三号阁楼

shangxiǎo sān fáng kè
上小三房客……"

Sānmáo kàn dào qiáng shang tiē le zhāng biāo yǔ shí xiàn mín zhǔ jiě fàng zì yóu yú shì tā bǎ shuān qi
三毛看到墙上贴了张标语："实现民主解放自由"。于是他把拴起

lai de xiǎo yáng fàng le zhǐ zhe biāo yǔ shuō kàn wǒ bāng zhù nǐ shí xiàn mín zhǔ jiě fàng zì yóu le
来的小羊放了,指着标语说："看,我帮助你'实现民主解放自由'了。"

tā yī bú zuò èr bù xiū yòu bǎ lóng zi li de jī hé niǎo lóng li de xiǎo niǎo dōu fàng zǒu le
他一不做,二不休,又把笼子里的鸡和鸟笼里的小鸟都放走了。

Sān máo bǎ yú gāng li de jīn yú dào jìn le xiǎo hé　　yú er　　zhè xià nǐ kě yǐ zì yóu zì zài de
三毛把鱼缸里的金鱼倒进了小河："鱼儿，这下你可以自由自在地

yóu yǒng la　　　　tā bǎ zhū fàng le chū lái　　ràng tā yōu xián de zài yuàn zi li sàn bù　　zhè cái shì zhēn zhèng
游泳啦！"他把猪放了出来，让它悠闲地在院子里散步。"这才是真正

de mín zhǔ ya　　Sān máo jué de zì jǐ lì le dà gōng　　bà ba huí lai le　　kàn jian dòng wù men zài yuàn zi
的民主呀！"三毛觉得自己立了大功。爸爸回来了，看见动物们在院子

li luàn pǎo　niǎo er yě bú jiàn le　　jué de hěn qí guài
里乱跑，鸟儿也不见了，觉得很奇怪。

bà ba lì jí qù wèn Sānmáo 爸爸立即去问三毛："这是怎么回事，动物怎么都跑出来了，是你放的吗？"三毛向爸爸邀功："爸爸，你看，我照这个标语上说的做了，你该怎么奖励我呀？"爸爸气得差点没跳起来："你这个调皮的小子，我把你拴起来，看你还捣乱不捣乱！"三毛委屈极了。

《三毛外传》（1946 年）

　　张乐平爷爷创作的《三毛从军记》和《三毛流浪记》，小朋友们已经很熟悉了。下面要介绍的是张爷爷在 1946 年创作的一部连环漫画《三毛外传》。

　　《三毛外传》的风格接近于早期三毛，主角三毛又成了城市里顽皮、淘气的小男孩。漫画里一个个有趣和可爱的生活情景，富有情趣又充满了幽默感，有的故事还含有尖锐的讽刺。

　　在《三毛外传》中，小三毛的外形已经基本定型，笔法也更加成熟。三毛有着一双圆而大的眼睛，阔嘴巴，脑袋大，身子小，头脑灵活，能随机应变。他的喜怒哀乐和善变的表情，在张爷爷的笔下表现得栩栩如生。

wǒ yào dāng tiào gāo yīng xióng
我要当跳高英雄，多高的竿我都能跳过去。我拿起长长的撑竿，

mó qǐ quán lai yòu cā zhǎng hē hē zhè xià jiù kàn wǒ de la hēi hā wǒ yòng jìn lì qi wǎng shàng tiào
摩起拳来又擦掌，呵呵，这下就看我的啦。嘿哈，我用尽力气往上跳，

wā fān guo qu le hǎo gāo ya wǒ de tóu zhí chòng zhe shā kēng wǎng xià zāi ā wǒ
哇，翻过去了，好高呀！我的头直冲着沙坑往下栽。啊，我……

yá tòng bú shì bìng　tòng qi lai zhēn yào mìng　Dé guó yá bó shì zuì shàn cháng bá yá　jiù zhǎo tā ba
牙痛不是病，痛起来真要命。德国牙博士最擅长拔牙，就找他吧。

gāng lái dào mén kǒu　jiù tīng jian lǐ miàn yǒu rén cǎn jiào　ā　yō　tòng　yuán lái zhè rén zhèng zài bá yá chǐ
刚来到门口，就听见里面有人惨叫"啊哟，痛……"原来这人正在拔牙齿。

tiān na　tài kě pà le　gǎn jǐn táo ba　wǒ tóu yūn mù xuàn　tuǐ fā ruǎn　āi yā　shuāi le yì jiāo　kē
天哪，太可怕了，赶紧逃吧。我头晕目眩，腿发软。哎呀，摔了一跤，磕

diào le yì kē yá　hēi　zhè xià kě hǎo le　yī shēng　bú yòng nín fèi xīn le
掉了一颗牙。嘿，这下可好了，医生，不用您费心了。

rén yuán tài shān zhēn yīng xióng　　chì shǒu kōng quán bǎ hǔ shā　　wǒ yě yào dāng tài shān　　zhè li méi you lǎo
人猿泰山真英雄，赤手空拳把虎杀。我也要当泰山。这里没有老

hǔ　　xiān ná xiǎo huā māo liàn lian shǒu yě bú cuò ya　　māo mī　　wǒ lái yě　　jiàn zhāo　　wū wū wū　　xiǎo huā
虎，先拿小花猫练练手也不错呀。猫咪，我来也，见招！呜呜呜……小花

māo méi dài zháo　　nǎo daishang què zhuàng le gè dà dà de bāo　　zhè suàn shén me tài shān ya
猫没逮着，脑袋上却撞了个大大的包。这算什么泰山呀！

mǔ jī xià le sān gè dàn　　hǎo yòu rén de jī dàn ya　　wǒ yào ná liǎng gè huí qu zhǔ le chī　　tài hǎo

母鸡下了三个蛋，好诱人的鸡蛋呀，我要拿两个回去煮了吃。太好

le　mǔ jī zǒu le　　wǒ kě yǐ tōu jī dàn le　bǎ jī dàn sāi jìn kù zi kǒu dai li dé le　　yí wǒ kǒu dai

了，母鸡走了，我可以偷鸡蛋了，把鸡蛋塞进裤子口袋里得了。咦，我口袋

li de yí gè jī dàn zěn me huì dòng ya　　āi yā　　yì zhī xiǎo jī bèi fū chu lai le　　wǒ ná le jī dàn yòu dé

里的一个鸡蛋怎么会动呀？哎呀，一只小鸡被孵出来了，我拿了鸡蛋又得

xiǎo jī　zhēn shì yì wài shōu huò

小鸡，真是意外收获！

huǒ bàn men nǐ menxiǎngzhōuyóu shì jiè ma nà jiù gēn wǒ lái ba wǒ néngràng nǐ menmèngxiǎngchéng
伙伴们,你们想周游世界吗?那就跟我来吧,我能让你们梦想成

zhēn Lán lan nǐ qí shangmù mǎ Lì li nǐ zuòshangrén lì chē Bǎo bao fù zé qiān mǎ Nān nan fù zé
真。兰兰,你骑上木马,莉莉,你坐上人力车,宝宝负责牵马,囡囡负责

tuī chē nǐ men rào zhe dà dì qiú yí zhuàn yì quān zěn me yàng zhèyàngzhōuyóu shì jiè yòushěngshí yòushěng
推车,你们绕着大地球仪转一圈。怎么样,这样周游世界又省时又省

qián duō hǎo ya
钱,多好呀!

Bǎo bao　Lì li　wǒ dài nǐ men qù cānguān wǒ de dòng wù yuán　wǒ de dòng wù yuán li yǒu dà xiàng
宝宝、莉莉，我带你们去参观我的动物园。我的动物园里有大象、

fènghuáng lǎo hǔ　kě yǒu qù le　kàn　zhè　dà xiàng chángcháng de bí zi duō shén qi　zhè　fènghuáng
凤凰、老虎……可有趣了！看，这"大象"长长的鼻子多神气，这"凤凰"

wǔ yán liù sè de chángwěi ba duō piàoliang　zhè　lǎo hǔ　zhāng dà le zuǐ ba duō wēi fēng ya　zěn me yàng
五颜六色的长尾巴多漂亮，这"老虎"张大了嘴巴多威风呀。怎么样，

kàn de guò bu guò yǐn
看得过不过瘾？

kàn kan　wǒ jīn tiān shì bu shì tè bié shén qi a　wǒ áng zhe tóu　tǐng zhexiōng　dà bù dà bù wǎngqián
看看，我今天是不是特别神气啊！我昂着头，挺着胸，大步大步往前
zǒu　āi　　　āi　　　āi yō　zhè ge pò shí kuài　zěn me fàng zài lù zhōngjiān ya　dù li rè shuǐ dài de
走。哎……哎……哎哟！这个破石块，怎么放在路中间呀！肚里热水袋的
shuǐ lòuguāng le　āi　wǒ de mì mì quán lòu xiàn le　hún shēnshàngxià yě shī tòu le　zhēn shì gòu dǎo méi de
水漏光了，唉，我的秘密全露馅了，浑身上下也湿透了，真是够倒霉的。

Lán lan　　xiǎo gōu duì miàn yǒu liǎng gè píng guǒ　　wǒ men dā kuài mù bǎn guò qu zhāi píng guǒ chī ba　　hā hā
兰兰，小沟对面有两个苹果，我们搭块木板过去摘苹果吃吧。哈哈，

mù bǎn dā hǎo le　　wǒ xiān guò qu la　　wǒ yí gè rén yào bǎ liǎng gè píng guǒ quán chī diào　　bú ràng nǐ chī
木板搭好了，我先过去啦。我一个人要把两个苹果全吃掉，不让你吃。

bǎ mù bǎn chāi le　　nǐ jiù guò bu lai le　　hēi hēi　　píng guǒ zhēn hǎo chī　　kě shì　　wǒ zěn me huí qu ne
把木板拆了，你就过不来了。嘿嘿，苹果真好吃！可是，我怎么回去呢？

āi　　Lán lan　　nǐ bié zǒu　　bāngbang wǒ hǎo bu hǎo　　qiú qiu nǐ le
哎，兰兰，你别走，帮帮我好不好，求求你了！

hā hā Lán lan shuāijiāo le diē le gè gǒu kěn ní hái kū bí zi ne qiáo tā nà shǎyàng zhēn
哈哈，兰兰摔跤了，跌了个"狗啃泥"，还哭鼻子呢，瞧她那傻样，真

hǎo xiào āi yō tòng a zhè zhù zi dāi zài nǎ bù hǎo wèi shén me fēi děi dǎngzhe wǒ de lù wǒ méi zhāo
好笑！哎哟，痛啊，这柱子呆在哪不好，为什么非得挡着我的路，我没招

nǐ rě nǐ gàn má gēn wǒ guò bu qù ya ā yō wǒ de tóu zhuàng de tòng sǐ le wū wū wū hng
你惹你，干吗跟我过不去呀？啊哟，我的头撞得痛死了，呜呜呜……哼，

Lán lan nǐ xiào wǒ yǒu shén me hǎo xiào de wū hǎo tòng
兰兰，你笑我！有什么好笑的？呜……好痛！

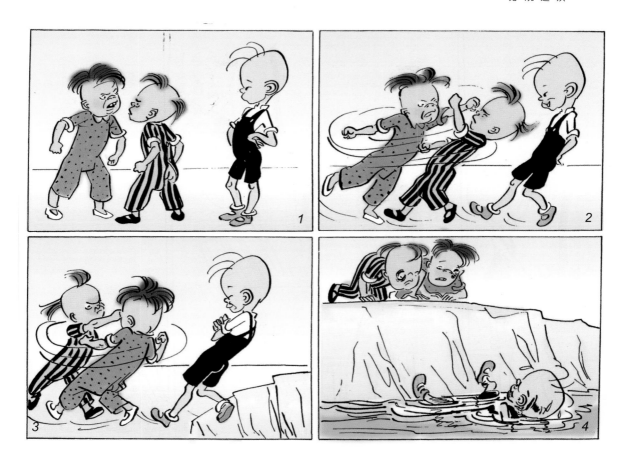

　yí　　zhè liǎng gè xiǎo zi zài chǎo jià　　tā men zài chǎo shén me ya　　wǒ děi qù kàn gè jiū jìng　chǎo zhe
咦，这两个小子在吵架，他们在吵什么呀，我得去看个究竟！吵着

chǎo zhe hái dǎ qǐ lai le　　hēi hēi　yǒu hǎo xì kàn le　　wā　　hǎo gōng fū　zài lái yì quán　dǎ chéng gè
吵着还打起来了，嘿嘿，有好戏看了。哇，好功夫，再来一拳，打成个

xióng māo yǎn　cái yǒu yì si ne　　ā　　zāo le　　wǒ diào hé li le　jiù mìng ya　　dōu guài nǐ men　gàn má
"熊猫眼"才有意思呢。啊，糟了，我掉河里了，救命呀！都怪你们，干吗

lǎo shì wǎng wǒ zhè er dǎ　　hài de wǒ yì zhí tuì　tuì dào hé li qù le
老是往我这儿打，害得我一直退，退到河里去了。

jīn tiān wǒ shēng ri chī chángshòumiàn luo zhè miàn kě zhēncháng wǒ zhàn zài dèng zi shangchī suàn le bù
今天我生日，吃长寿面啰！这面可真长，我站在凳子上吃算了。不

xíng yòngkuài zi bǎ miànwǎngshàng tí jiù shì tí bu dào tóu kě néng shì wǒ gē bo duǎn ba nà wǒ jiù zhàn
行，用筷子把面往上提，就是提不到头。可能是我胳膊短吧，那我就站

zhuōshangchī ba kě shì hái shi bù néng bǎ yì zhěngtiáo de miàn tí shanglai nà wǒ zài jià gè dèng zi wǒ
桌上吃吧，可是，还是不能把一整条的面提上来。那我再架个凳子，我

jiù bú xìn tí bu qǐ lái à bù hǎo zěn me chī wǎnmiàn yě yào nà me xīn kǔ ya
就不信提不起来。啊，不好……怎么吃碗面也要那么辛苦呀！

zhè hé táo kě zhēn shì yìng a   wǒ yàoyòng wǒ de xiǎochuí zi bǎ nǐ zá kai   yō hēi   yō hēi   zá
这核桃可真是硬啊！我要用我的小锤子把你砸开。哟嘿，哟嘿，砸

āi yō wǒ de tóu a mā ma ya tòng sǐ wǒ le hé táo méi zá kai fǎn ér tán qǐ lai bǎ wǒ
——哎哟，我的头啊，妈妈呀，痛死我了！核桃没砸开，反而弹起来，把我

de tóuzhuàngchu yí gè dà bāo zhè xià yí gè hé táobiànchéngliǎng gè hé táo le dì shang yí gè tóu
的头撞出一个大包。这下一个核桃变成两个"核桃"了，地上一个，头

shang yí gè
上一个。

zhè li yǒu yì hé bǐng gān hǎo yòu rén o tiān na zěn me mào chu zhè me duō lǎo shu kě wù de lǎo
这里有一盒饼干，好诱人哦！天哪，怎么冒出这么多老鼠，可恶的老

shu bǎ wǒ de bǎo bèi bǐng gān quán dōu chī le nǐ men hái xiǎng táo kàn wǒ yòng lǎo shu jiā bǎ nǐ men tǒng tǒng
鼠把我的宝贝饼干全都吃了。你们还想逃？看我用老鼠夹把你们统统

zhuā zhù hē hē zhè xià yǒu hǎo xì kàn le ńg zhè shì zěn me huí shì lǎo shu méi jiā zhe dào shì huó
抓住！呵呵，这下有好戏看了！嗯，这是怎么回事？老鼠没夹着，倒是活

zhuō le xiǎo huā māo zhēn shì nòng qiǎo chéng zhuō ya
捉了小花猫，真是弄巧成拙呀。

lǎo shu hài pà xiǎo huā māo　huā māo hài pà dà láng gǒu　　nà me　　　láng gǒu yòu hài pà shén me ne　duì
老鼠害怕小花猫，花猫害怕大狼狗，那么……狼狗又害怕什么呢？对

le　láng gǒu yí dìng hài pà dà lǎo hǔ　　nà wǒ jiù bànchéng dà lǎo hǔ　　xià hu xià hu tā ba　　ná chu wǒ
了，狼狗一定害怕大老虎，那我就扮成大老虎，吓唬吓唬它吧。拿出我

de bǐ mò zhǐ yàn　wǒ yào yì zhǎn huì huà tiān fù　　hā hā　　zhè zhī zhǐ lǎo hǔ gēnzhēn de　yì mú yí yàng
的笔墨纸砚，我要一展绘画天赋。哈哈，这只纸老虎跟真的一模一样。

wū ā　　　wū ā　　　lǎo hǔ lái le　kàn nǐ táo bu táo
"呜啊——呜啊——老虎来了，看你逃不逃……"

yì tiáo dào zhè me zhǎi liǎngpàng zi bìng pái zhàn lù yì dǎng méi fǎ zǒu wèi nǐ men liǎ shuō
一条道，这么窄，两胖子，并排站，路一挡，没法走。喂，你们俩说

huà yě děi kàn kan dì fang a wǒ cóngzhōngjiānchuānguo qu dé le āi ya nǐ men dǎ zhāo hū jiù dǎ zhāo
话也得看看地方啊！我从中间穿过去得了。哎呀，你们打招呼就打招

hū hǎo le hái yàoyōngbào gàn má wǒ bèi jǐ de qì dōu chuǎnbu guò lái le ō wǒ de tiān na nǐ men
呼好了，还要拥抱干吗？我被挤得气都喘不过来了！哦，我的天哪，你们

de jiànmiàn lǐ zǒngsuàn jié shù le kě wǒ
的见面礼总算结束了，可我……

　　hē le　　　yī fú zhuàng　　　shēn tǐ jiù huì zhuàng　　jīn tiān wǒ jiù hē shang yì sháo　　kàn kan néng zhǎng chéng
　喝了"一服壮"，身体就会壮。今天我就喝上一勺，看看能长成
sháyàng　bǎ yī fu tuō le zhào zhao jìng zi　　kàn kan yǒu méi you biàn zhuàng　yí　zěn me　yì diǎn xiào guǒ dōu méi
啥样。把衣服脱了照照镜子，看看有没有变壮。咦，怎么一点效果都没
you a　shén me　yī fú zhuàng　jiǎn zhí jiù shì dà piàn zi　heng　bǎ nǐ shuāi diào　yā　lǎo shu hē le dǎ
有啊！什么"一服壮"，简直就是大骗子，哼，把你摔掉！呀，老鼠喝了打
suì de　yī fú zhuàng　zěn me biàn de bǐ wǒ hái dà　tài kǒng bù la
碎的"一服壮"怎么变得比我还大，太恐怖啦！

jì rán bà ba shuō le shū zhōng zì yǒu huáng jīn wū nà me shū jià shang yǒu nà me duō shū wǒ kě yǐ
既然爸爸说了，书中自有黄金屋，那么，书架上有那么多书，我可以

zhǎo dào hǎo duō hǎo duō huáng jīn la shí zài shì tài hǎo le yí qí guài le nǎ li yǒu shén me huáng jīn ya
找到好多好多黄金啦，实在是太好了！咦，奇怪了，哪里有什么黄金呀，

lián fèi tóng làn tiě dōu méi you hng kě wù bà ba jìng rán piàn wǒ hài de wǒ bǎ shū nòng le yí dì dào
连废铜烂铁都没有。哼，可恶，爸爸竟然骗我，害得我把书弄了一地，到

tóu lái zhú lán dǎ shuǐ yì chǎng kōng
头来竹篮打水一场空！

太无聊了，我站在街边找了个窨井盖往下看，下水道里面黑漆漆的，什么也看不到，站着发呆消磨消磨时间也好。我站着一动也不动，目不转睛地看着下水道，等回过神，哎呀，怎么我身后一下子站了这么多人？真奇怪，你们干吗要跟着我发呆啊？

Shèngdàn lǎo yé ye   nǐ bēi zhe nà me yí dà dài lǐ wù   jiù sòng gěi wǒ yí gè ba   jiù yí gè hái
圣 诞 老 爷 爷，你 背 着 那 么 一 大 袋 礼 物，就 送 给 我 一 个 吧。就 一 个 还

bù xíng ma   hng   zhēn shì xiǎo qì guǐ   nǐ bù gěi wǒ   wǒ jiù zì jǐ ná   wǒ yàoyòngxiǎo dāo bǎ nǐ de dài
不 行 吗？哼，真 是 小 气 鬼，你 不 给 我，我 就 自 己 拿，我 要用小 刀 把 你 的 袋

zi gē kāi   tiān na   zhè dōu shì xiē shén me wán yì a   è sǐ guǐ   dòng sǐ guǐ   zhàn sǐ guǐ   wā
子 割 开。天 哪，这 都 是 些 什 么 玩 意 啊？饿 死 鬼、冻 死 鬼、战 死 鬼 …… 哇

bié guò lai ya   jiù mìng ya
—— 别 过 来 呀，救 命 呀 ……

wǒ děi bǎ zhè ge mǐ dài diàoshangqu   hēi hēi   kàn wǒ de   hāi yōu   hāi yōu   hāi yōu   zhè ge
我得把这个米袋吊上去。嘿嘿，看我的！嗨哟，嗨哟，嗨哟……这个

mǐ dài hái bù qīng ne   hā hā   lā shangqu yì diǎn le   zài lā gāo yì diǎn   kànnéng bu néng lā dào zuì gāo
米袋还不轻呢。哈哈，拉上去一点了，再拉高一点，看能不能拉到最高

diǎn   jiù kuài dào zuì gāo diǎn le   zài shǐ yì bǎ jìn   ā   bù hǎo   mǐ dài méi lā shangqu   wǒ zì jǐ diào
点。就快到最高点了，再使一把劲。啊，不好，米袋没拉上去，我自己吊

shangqu xià bu lái la
上去下不来啦！

shū shu　　nǐ shì bu shì jué de nǐ chōuyān de zī shì hěnshuài ne　dàn qǐng nǐ jiǎngdiǎngōng dé hǎo bu hǎo
叔叔，你是不是觉得你抽烟的姿势很帅呢，但请你讲点公德好不好，

nǐ de yān xūn de wǒ méi fǎ kàn shū le　bài tuō　nǐ néng bu néng bú yào fàng dú qì le　wǒ dōu kuài biàn chéng
你的烟熏得我没法看书了。拜托，你能不能不要放毒气了，我都快变成

xūn é le　zěn me　nǐ bǎ wǒ dàng chéng tòu míng rén　kàn lái fēi děi ná chū wǒ de jué zhāo bù kě le　qǐng
熏鹅了！怎么，你把我当成透明人？看来非得拿出我的绝招不可了！请

kàn　wǒ de fáng dú miàn jù lái yě
看，我的防毒面具来也！

Ā dà nǐ bié yǐ wéi zàiqiángshangxiě wǒ de huài huà wǒ jiù bù zhī dao　zhè cì bèi wǒ dài dào le ba
阿大你别以为在墙 上写我的坏话我就不知道,这次被我逮到了吧?

hng hng　kàn wǒ zěn me bào fù nǐ　bǎ　bù　zì huà le　wǒ Sānmáo zuì hǎo　nǐ Ā dà cái bú shì gè
哼哼,看我怎么报复你。把"不"字划了,我三毛最好,你阿大才不是个

hǎodōng xi ne　āi yō　wǒ hái méi xiě hǎo ne　zěn me jiù hé Ā dà de nǎo dai zuò le qīn mì jiē chù　hǎo
好东西呢!哎哟,我还没写好呢,怎么就和阿大的脑袋作了亲密接触?好

tòng　wǒ kū zhe kàn kanqiángshangde　bù zhǔnzhāo tiē　zěn megāngcái méi kàn jian a
痛,我哭着看看墙 上的"不准招贴",怎么刚才没看见啊?

Lán lan gěi bó bo jū le yí gè gōng   jiù ná dào le yí gè hóngbāo   bó bo   wǒ gěi nǐ kē tóu
兰兰给伯伯鞠了一个躬，就拿到了一个红包。伯伯，我给你磕头，

nǐ yě gěi wǒ yì diǎnqián hǎo bu hǎo   wǒ bǐ Niū niu kē de hǎo   nǐ kàn   wǒ bǎ pì gu dōu juēshang le tiān
你也给我一点钱好不好？我比妞妞磕得好，你看，我把屁股都撅上了天

tóu kē dào le dì   hái kē de dōngdōngxiǎng ne   ā   zāo le   kù zi bēng pò le   hng   bù gěi rén jia
头磕到了地，还磕得咚咚响呢。啊，糟了，裤子绷破了！哼，不给人家

qián   hái xiào hua rén jia   zhēn kě wù
钱，还笑话人家，真可恶。

92

dà yú dà yú nǐ kuài shàng gōu gōu zhù le nǐ wǒ Sānmáo jiù kě yǐ bǎo cān yí dùn la yí
大鱼，大鱼，你快上钩。钩住了你，我三毛就可以饱餐一顿啦！咦，

yǒu dòng jìng le hǎo zhòng a wā hǎo dà yì tiáo yú ńg zěn me huí shì dà yú zuǐ li xián zhe yì tiáo
有动静了，好重啊，哇，好大一条鱼！嗯，怎么回事？大鱼嘴里衔着一条

xiǎo yú xiǎo yú zuǐ li hái xián zhe yì tiáo xiǎo máo yú wū wū wū zhǐ diào shang lai yì tiáo xiǎo máo yú
小鱼，小鱼嘴里还衔着一条小毛鱼。呜呜呜……只钓上来一条小毛鱼，

sāi wǒ yá chǐ fèng dōu bú gòu zhēn shì dǎo méi a
塞我牙齿缝都不够，真是倒霉啊。

哎，叔叔，为什么不让我进去，嗯，"书房静地闲人免进"？不让我进，我自有办法，这墙壁就是我的"书架"。我用墨水在墙上画好多好多书，比你书房里的还要多。对了，我也写个"书房静地闲人免进"。叔叔，看到了没有，你也不许进我这儿。

<ruby>嘿<rt>hēi</rt></ruby><ruby>嘿<rt>hēi</rt></ruby>，<ruby>小<rt>xiǎo</rt></ruby><ruby>癞<rt>lài</rt></ruby><ruby>子<rt>zi</rt></ruby>，<ruby>我<rt>wǒ</rt></ruby><ruby>带<rt>dài</rt></ruby><ruby>你<rt>nǐ</rt></ruby><ruby>去<rt>qù</rt></ruby><ruby>看<rt>kàn</rt></ruby><ruby>一<rt>yí</rt></ruby><ruby>样<rt>yàng</rt></ruby><ruby>好<rt>hǎo</rt></ruby><ruby>东<rt>dōng</rt></ruby><ruby>西<rt>xi</rt></ruby>。<ruby>你<rt>nǐ</rt></ruby><ruby>脸<rt>liǎn</rt></ruby><ruby>上<rt>shang</rt></ruby><ruby>那<rt>nà</rt></ruby><ruby>么<rt>me</rt></ruby><ruby>多<rt>duō</rt></ruby><ruby>雀<rt>què</rt></ruby><ruby>斑<rt>bān</rt></ruby>，<ruby>看<rt>kàn</rt></ruby>

<ruby>看<rt>kàn</rt></ruby><ruby>像<rt>xiàng</rt></ruby><ruby>不<rt>bu</rt></ruby><ruby>像<rt>xiàng</rt></ruby><ruby>这<rt>zhè</rt></ruby><ruby>个<rt>ge</rt></ruby><ruby>马<rt>mǎ</rt></ruby><ruby>蜂<rt>fēng</rt></ruby><ruby>窝<rt>wō</rt></ruby>？<ruby>哈<rt>hā</rt></ruby><ruby>哈<rt>hā</rt></ruby>，<ruby>简<rt>jiǎn</rt></ruby><ruby>直<rt>zhí</rt></ruby><ruby>是<rt>shì</rt></ruby><ruby>一<rt>yì</rt></ruby><ruby>模<rt>mú</rt></ruby><ruby>一<rt>yí</rt></ruby><ruby>样<rt>yàng</rt></ruby><ruby>呀<rt>ya</rt></ruby>。<ruby>啊<rt>à</rt></ruby>，<ruby>马<rt>mǎ</rt></ruby><ruby>蜂<rt>fēng</rt></ruby><ruby>大<rt>dà</rt></ruby><ruby>爷<rt>yé</rt></ruby>，<ruby>别<rt>bié</rt></ruby><ruby>蜇<rt>zhē</rt></ruby>

<ruby>我<rt>wǒ</rt></ruby>，<ruby>别<rt>bié</rt></ruby><ruby>蜇<rt>zhē</rt></ruby><ruby>我<rt>wǒ</rt></ruby>，<ruby>我<rt>wǒ</rt></ruby><ruby>不<rt>bú</rt></ruby><ruby>是<rt>shì</rt></ruby><ruby>笑<rt>xiào</rt></ruby><ruby>话<rt>hua</rt></ruby><ruby>您<rt>nín</rt></ruby><ruby>的<rt>de</rt></ruby>，<ruby>我<rt>wǒ</rt></ruby><ruby>向<rt>xiàng</rt></ruby><ruby>您<rt>nín</rt></ruby><ruby>认<rt>rèn</rt></ruby><ruby>错<rt>cuò</rt></ruby>，<ruby>求<rt>qiú</rt></ruby><ruby>您<rt>nín</rt></ruby><ruby>别<rt>bié</rt></ruby><ruby>蜇<rt>zhē</rt></ruby><ruby>我<rt>wǒ</rt></ruby><ruby>了<rt>le</rt></ruby>，<ruby>痛<rt>tòng</rt></ruby><ruby>死<rt>sǐ</rt></ruby><ruby>了<rt>le</rt></ruby><ruby>呀<rt>ya</rt></ruby>！

<ruby>呜<rt>wū</rt></ruby><ruby>呜<rt>wū</rt></ruby>，<ruby>我<rt>wǒ</rt></ruby><ruby>的<rt>de</rt></ruby><ruby>脸<rt>liǎn</rt></ruby>……

bó bo gěi le wǒ yì běn shū wā hǎo dà de shū a zhè shū guǒ rán yǒu fèn liang wǒ bào de
伯伯给了我一本书。哇，好大的书啊！这书果然有"分量"，我抱得

yāo suān bèi tòng zǒng suàn bǎ tā fàng dào le chá jī shang kě shì wǒ lián fēng miàn dōu fān bu dòng zhè kě zěn
腰酸背痛，总算把它放到了茶几上。可是，我连封面都翻不动，这可怎

me bàn ne duì le ràng wǒ zuò gè jiǎn yì shēng jiàng qì ba yòng jiā zi bǎ fēng miàn jiā zhù zài yòng
么办呢？对了，让我做个简易"升降器"吧。用夹子把封面夹住，再用

shéng zi hé huá lún bǎ fēng miàn diào qi lai kàn wǒ zhè dú shū fāng fǎ jué bu jué
绳子和滑轮把封面吊起来。看我这读书方法绝不绝？

wǒ de xiǎo huāmiáo　　nǐ kuàikuàizhǎngdà ba　　wǒ tiān tiān gěi nǐ jiāo shuǐ　　nǐ kuàidiǎn kāi chū huā lai ràng
我 的 小 花 苗 , 你 快 快 长 大 吧 。 我 天 天 给 你 浇 水 , 你 快 点 开 出 花 来 让

wǒ kàn kan ba　　hēi　　zǒngsuàngōng fu méi you bái fèi　　wǒ de xiǎo huāmiáotīng huà de hěn　　kāi chū le yì duǒ
我 看 看 吧 。 嘿 , 总 算 功 夫 没 有 白 费 , 我 的 小 花 苗 听 话 得 很 , 开 出 了 一 朵

yòu dà yòu hǎo kàn de jú huā lai　　yí　　wǒ de jú huā ne　　zěn me biànchéng le hú dié jié　　nà me yǎn shú
又 大 又 好 看 的 菊 花 来 。 咦 ? 我 的 菊 花 呢 , 怎 么 变 成 了 蝴 蝶 结 ? 那 么 眼 熟

de hú dié jié　　zhè bú shì Lì li de ma　　āi yā　　qì sǐ wǒ yě
的 蝴 蝶 结 , 这 不 是 莉 莉 的 吗 ? 哎 呀 , 气 死 我 也 !

Nān nan dài le dǐng xīn mào zi　　féng rén jiù kuā tā de mào zi hǎo kàn　　kàn tā nà fù shén qi de mú
囡囡戴了顶新帽子，逢人就夸他的帽子好看。看他那副神气的模

yàng　yǒu shén me liǎo bu qǐ de　wǒ yě yào nòng dǐng mào zi dài dai　hēi hēi　zhè ge yú gāng jiù mán hǎo de
样，有什么了不起的，我也要弄顶帽子戴戴。嘿嘿，这个鱼缸就蛮好的，

yàng shì xīn yǐng　cái zhì dú tè　bǐ Nān nan nà dǐng mào zi hǎo duō le　hā hā　Nān nan　nǐ kàn wǒ zhè kě
样式新颖、材质独特，比囡囡那顶帽子好多了。哈哈，囡囡，你看我这可

shì xīn dào de Měi guó bō li mào　zěn me yàng　ràng nǐ hǎo hǎo kāi kai yǎn jiè
是新到的美国玻璃帽，怎么样，让你好好开开眼界！

yí　　　dà shī huàzhǎn　　hǎoxiàngyǒu diǎn yì si　　wǒ jìn qu kàn kan ba　　tiān na　　zhè liǎng fú shì
咦，"大师画展"，好像有点意思，我进去看看吧。天哪，这两幅是

shén me huà ya　　zhè me bào lù de huà dōunénggōng kāi zhǎn lǎn　　zhè kě zěn me dé liǎo　　ér tóng bù yí　　ér
什么画呀？这么暴露的画都能公开展览，这可怎么得了！儿童不宜，儿

tóng bù yí　　wǒ bǎ yǎn zhē zhù　　hēi hēi　　zhè fú fēng jǐng huà dào shì tǐng hǎo de　　bú guò hǎoxiànghái quē le
童不宜，我把眼遮住。嘿嘿，这幅风景画倒是挺好的，不过好像还缺了

diǎnshén me　　ràng wǒ gěi tā xiū shì xiū shì　　Sān máo dào cǐ yì yóu
点什么。让我给它修饰修饰："三毛到此一游"！

yí dì shangyǒu yì zhāngzhǐ bì wǒ xiān kàn dào de jiù yīng gāi guī wǒ Lì li nǐ bié hé wǒzhēng

咦，地上有一张纸币，我先看到的就应该归我。莉莉，你别和我争，

shì wǒ de shì wǒ de ā zāo le zhǐ bì pò le zhèyàng yě hǎo wǒ men yì rén yí bàn bú yòng

是我的，是我的！啊，糟了，纸币破了。这样也好，我们一人一半，不用

qiǎng lai qiǎng qu le yé ye wǒ mǎi gè shāobǐng āi zhǐ bì pò le bù néngyòng a Lì li de yě bù

抢来抢去了。爷爷，我买个烧饼。唉，纸币破了不能用啊。莉莉的也不

néngyòng le hng Lì li dōu guài nǐ gàn má hé wǒqiǎng ya

能用了。哼，莉莉，都怪你，干吗和我抢呀？

suàn le jì rán zhè qián bù néng yòng wǒ men bǎ tā rēng le ba hēi hēi yǒu rén bǎ qián jiǎn qi lai

算了，既然这钱不能用，我们把它扔了吧。嘿嘿，有人把钱捡起来

le tā hái yǐ wéi zhè qián néng yòng ne zhēn shǎ ya yí tā bǎ liǎng gè bàn zhāng de chāo piào pīn qi lai le

了，他还以为这钱能用呢，真傻呀。咦，他把两个半张的钞票拼起来了，

jìng rán yòng pīn qi lai de qián mǎi dào le yí gè shāo bǐng wǒ men zěn me jiù méi xiǎng dào ne wǒ men liǎ zhēng

竟然用拼起来的钱买到了一个烧饼。我们怎么就没想到呢？我们俩争

lai zhēng qu dào tóu lái bèi zhè xiǎo zi jiǎn le pián yi

来争去，到头来被这小子捡了便宜。

《三毛的控诉》（1951 年）

　　张乐平爷爷在《三毛流浪记》中所表现的三毛一直盼望的解放的日子终于来到了。

　　张爷爷满腔热情地使三毛进入了新的生活，新三毛开始活跃起来。

　　1951 年，张乐平爷爷创作了《三毛的控诉》，把时间拉回到了过去。三毛在解放前夕的上海，看到美国兵的横行霸道、粗暴无理的表现和当时国民党政府对美国兵行为的无可奈何。这部作品根据一些真实事件，借助三毛这个"见证人"，揭露了美国兵在上海犯下的一系列罪行。

1946 年 7 月 9 日，在上海西侨青年会门口，12 岁的苏州女孩王贞宝正在向一个美国兵兜售鲜花。这个美国兵满脸凶相，把抽了一半的烟头塞到她的衣服里。女孩被烫得哇哇大叫。我赶紧把她衣服掀开，只见背上烫出了道道伤疤。美国宪兵却在一旁哈哈大笑。

nián yuè rì zài Shànghǎi Shǎn xī nán Lù Fù xīng zhōng Lù kǒu wǒ xiàng Shànghǎi rén Wáng Jì chāng dǎ
1947年8月27日，在上海陕西南路复兴中路口，我向上海人王继昌打

tīng shí jiān tā cóng yī fu li ná chu huái biǎo méi xiǎng dào biǎo gāng ná chu lai jiù bèi jīng guò de Měi guó bīng
听时间。他从衣服里拿出怀表，没想到表刚拿出来，就被经过的美国兵

qiāng zǒu le Wáng Jì chāng gǎn máng qù zhuī zhè shí guò lai yí gè Měi guó xiàn bīng hé yí gè jǐng chá tā men
抢走了。王继昌赶忙去追，这时过来一个美国宪兵和一个警察，他们

dài zhe diàn gùn hé shǒu qiāng jìng rán bǎ bèi qiāng de Wáng Jì chāng zhuā zǒu le
带着电棍和手枪，竟然把被抢的王继昌抓走了。

1946 年 10 月 23 日，我来到上海环龙路金神父路MAXIM'S酒吧门口，心想：这些有钱人喝着美酒多幸福，可我连水都没得喝。一个醉醺醺的美国兵从酒吧里跌跌撞撞地走出来，抢起酒瓶就往我头上摔。好痛啊，血立刻流出来了。这可真是飞来横祸！

nián yuè rì　Zhū Ā qī zài Yán ān zhōng Lù Sōng shān Lù kǒu shōu jiù huò　　 yí gè Měi guó bīng bǎ

1946 年 9 月 16 日，朱阿七在延安中路嵩山路口收旧货。一个美国兵把

yì shuāng pí xié ná lai mài　 ná le qián yǐ hòu jiù zǒu le　 zhè shí　 yí gè Měi guó xiàn bīng zǒu le guo lai

一双皮鞋拿来卖，拿了钱以后就走了。这时，一个美国宪兵走了过来，

bù fēn qīng hóng zào bái　 jiù dǎ le wǒ yí gùn zi　 huán bǎ tān zi dǎ fān le　 pí xié yě ná zǒu le　 hái gěi

不分青红皂白，就打了我一棍子，还把摊子打翻了，皮鞋也拿走了，还给

le gāng cái mài xié de Měi guó bīng　　 zhè zhēn shì zéi hǎn zhuō zéi a

了刚才卖鞋的美国兵。这真是贼喊捉贼啊！

《三毛翻身记》（1951 年）

　　抗美援朝开始了，张乐平爷爷在1951年创作了《三毛翻身记》。三毛在"反对美国武装日本控诉大会"上发言，讲述了自己从抗日战争开始到获得解放的故事。

　　故事中，三毛经历了抗日战争和解放战争，吃了许多苦。从被日本鬼子弄得家破人亡，和外婆相依为命，到被有钱有势的人欺负，最后终于熬出了头，迎来了翻身解放的日子。三毛的经历也正反映了在战争时期千千万万个穷苦孩子的共同遭遇。

Sānmáo cān jiā "fǎn duì Měi guó wǔzhuāng Rì běn kòng sù dà huì" huìshang rén men yí gè jiē zhe yí gè
三毛参加"反对美国武装日本控诉大会"。会上，人们一个接着一个

fā yán kòng sù Rì běn guǐ zi de zuì xíng tīng le bié ren de kòng sù Sānmáoxiǎngdào le zì jǐ de cǎn tòng
发言，控诉日本鬼子的罪行。听了别人的控诉，三毛想到了自己的惨痛

jiā shì yuèxiǎngyuè jī dòng zuì hòu shí zài rěn bu zhù shāngxīn de fàngshēngdà kū rán hòu tā tiàoshang le
家世，越想越激动，最后实在忍不住，伤心地放声大哭。然后他跳上了

jiǎng tái huī dòngzhe xiǎoquán tou shuō wǒ yě yàokòng sù
讲台，挥动着小拳头，说："我也要控诉！"

一天，我正给爷爷点烟，突然爸爸慌慌张张跑进来大叫："鬼子来了，快逃啊！"爷爷腿脚不灵便，颤巍巍地说："我一把老骨头，跑不动了，你们先走吧。"妈妈和爸爸只得留下爷爷，背着我逃走，我在爸爸背上不停地喊爷爷。后来我们躲到村外一座阴森森的空墓里。

mù dì li yòu shī yòu lěng hěn xià rén děng dào guǐ zi zǒu hòu wǒ men jiù huí dào cūn zi li hái
墓地里又湿又冷，很吓人。等到鬼子走后，我们就回到村子里。还

méi jìn cūn jiù tīng dào hū tiān qiāng dì de tòng kū shēng cái zǒu jǐ bù wǒ men jiù shǎ yǎn le jiē shang dào chù
没进村就听到呼天抢地的痛哭声，才走几步，我们就傻眼了：街上到处

shì shāo jiāo de shī tǐ jiā li kōng dàng dàng de dōng xi bèi guǐ zi qiǎng guāng le mā ma kū zhe hǎn zhè
是烧焦的尸体，家里空荡荡的，东西被鬼子抢光了。妈妈哭着喊："这

yǐ hòu de rì zi hái zěn me guò a
以后的日子还怎么过啊！"

爷爷呢？赶快找爷爷！地上有一滴滴血迹，我和爸爸就沿着血迹找过去，终于找到了爷爷。可是爷爷浑身都是血，眼睛紧紧地闭着，任我怎么喊，他都不醒。爸爸伤心地说："别喊了，爷爷再也醒不来了。"说完，就失声痛哭起来。

wǒ chuí tóu sàng qì de lái dào hòuyuàn　fā xiàn niúpéng li de niú bú jiàn le　jī wō yě shì kōngkōng de

我垂头丧气地来到后院，发现牛棚里的牛不见了，鸡窝也是空空的。

dōu shì guǐ zi gàn de hǎo shì　tū rán　wǒ tīng dào yì shēng fù nǚ de jīng jiàoshēng　wǒ wǎng chuāng hu li yí

都是鬼子干的好事！突然，我听到一声妇女的惊叫声，我往窗户里一

kàn　yuán lái guǐ zi zhèngzài zuò huài shì　qiānwàn bù néngràng zhè guǐ zi déchéng　wǒ lì kè pǎo qu gào su bà

看，原来鬼子正在做坏事。千万不能让这鬼子得逞！我立刻跑去告诉爸

ba　bà ba ná qi tiě gǎo bēn guo qù　wǒ yě ná qi mù gùn gēn zài hòumian

爸。爸爸拿起铁镐奔过去，我也拿起木棍跟在后面。

guǐ zi de qiāng jiù kào zài qiáng biān　wǒ qīng shǒu qīng jiǎo de zǒu guo qu　bǎ qiāng bào zài huái li ná zǒu le
鬼子的枪就靠在墙边，我轻手轻脚地走过去，把枪抱在怀里拿走了。

bà ba jǔ qǐ tiě gǎo chōng xiàng guǐ zi　guǐ zi xià de pū tōng yì shēng guì xia lai qiú ráo　hng　qiú ráo jiù fàng
爸爸举起铁镐冲向鬼子，鬼子吓得扑通一声跪下来求饶。哼，求饶就放

le nǐ　kě méi you zhè me pián yi de shì　xuè zhài yào yòng xuè lái huán　xiāng qīn men fēn fēn gǎn lai　fèn nù de
了你？可没有这么便宜的事！血债要用血来还！乡亲们纷纷赶来，愤怒地

jǔ qǐ wǔ qì dǎ sǐ le dí rén
举起武器打死了敌人。

wǒ yào cān jiā yóu jī duì　wèi yé ye tā men bào chóu　kě shì dà shū shuō wǒ tài xiǎo le　　wèi shén me

我要参加游击队，为爷爷他们报仇，可是大叔说我太小了。为什么

xiǎo hái zi jiù bù néng dǎ zhàng　tài bù gōng ping le　wǒ yào shi néng kuài kuài zhǎng dà jiù hǎo le　mā ma cóng fèi

小孩子就不能打仗，太不公平了！我要是能快快长大就好了！妈妈从废

xū li zhǎo chu le wài pó jì lai de yì fēng xìn　lín jū lǎo dà yé gào su wǒ men xìn shang de dì zhǐ　wǒ men

墟里找出了外婆寄来的一封信。邻居老大爷告诉我们信上的地址，我们

jiù àn zhào dì zhǐ qù Shànghǎi zhǎo wài pó le

就按照地址去上海找外婆了。

gāng dào Shànghǎi guǐ zi jiù lán zhù wǒ men yào mǎi lù qián wǒ xiǎng heng wǒ men nǎ yǒu qián a
刚到上海，鬼子就拦住我们要买路钱。我想，哼，我们哪有钱啊？

dōu bèi nǐ men zhè xiē huài dàn qiǎng guāng le guǐ zi wū xiàn wǒ men sī zì cáng mǐ yào sōu shēn mā ma bù
都被你们这些坏蛋抢光了。鬼子诬陷我们私自藏米，要搜身。妈妈不

dā ying guǐ zi jǔ qi cì qiāng jiù cháo mā ma cì guo qu mā ma cǎn jiào le yì shēng dǎo zài le xuè pò li
答应，鬼子举起刺枪就朝妈妈刺过去。妈妈惨叫了一声，倒在了血泊里。

wǒ pū dào le mā ma de shēnshang dàshēng jiào mā ma mā ma nǐ bù néng sǐ mā ma què yǒng
我扑到了妈妈的身上，大声叫："妈妈，妈妈，你不能死……"妈妈却永

uǎn yě tīng bu jiàn le
远也听不见了。

wǒ zuò zài mén kǒu děng wài pó bù zhī bù jué jiù shuìzháo le děng wǒ xǐng lai zhēngkai yǎn yí kàn wài
我坐在门口等外婆，不知不觉就睡着了。等我醒来睁开眼一看，外

pó zhàn zài wǒ miànqián cí xiáng de kàn zhe wǒ wǒ wā de yì shēng kū le wài pó wǒ shì Sānmáo
婆站在我面前慈祥地看着我。我"哇"的一声哭了："外婆，我是三毛！"

wài pó téng ài de lǒu zhe wǒ wǒ bǎ jiā li de zāo yù gào su wài pó shuōwán hòu wǒ men bào tóu tòng
外婆疼爱地搂着我。我把家里的遭遇告诉外婆。说完后，我们抱头痛

kū cóng cǐ wǒ hé wài pó guò zhexiāng yī wéimìng de rì zi
哭。从此，我和外婆过着相依为命的日子。

116

wài pó kào zài jiē tóu gěi rén féng bǔ yī fu guò huó　tā zǒng shì dài zhe lǎo huā jìng　mí zhe yǎn jing
外婆靠在街头给人缝补衣服过活。她总是戴着老花镜，眯着眼睛，

yì zhēn yì zhēn zǐ xì yòu nài xīn de féngfeng bǔ bǔ　　yì tiān dào wǎnmáng gè bù tíng　tiān hēi le　wǒ de dù
一针一针仔细又耐心地缝缝补补，一天到晚忙个不停。天黑了，我的肚

zi è de gū gū jiào　wài pó mǎi le gè shāobǐng gěi wǒ chī　tā zì jǐ què shě bu de mǎi　chī zheshāobǐng
子饿得咕咕叫，外婆买了个烧饼给我吃，她自己却舍不得买。吃着烧饼，

kàn zhe wài pó　wǒ dùn shí gǎn dào yì gǔ nuǎn liú yǒng jìn le xīn tóu
看着外婆，我顿时感到一股暖流涌进了心头。

guǐ zi tóuxiáng le　rén men dōu zài huān hū qìng zhù　wǒ shǐ chu le chī nǎi de lì qi　hǎo róng yì cái

鬼子投降了，人们都在欢呼庆祝。我使出了吃奶的力气，好容易才

jǐ jìn rén qún　pīn mìng de gǔ zhǎng　guǐ zi zǒu le　wǒ men de kǔ rì zi jiù kuài jié shù la　wǒ hái zài

挤进人群，拼命地鼓掌。鬼子走了，我们的苦日子就快结束啦。我还在

xìng chōng chōng de biān zhī zhe měi hǎo de wèi lái　tū rán yí gè jiū chá duì yuán yì bǎ jiāng wǒ tuī dǎo zài dì

兴冲冲地编织着美好的未来，突然一个纠察队员一把将我推倒在地。

hǎo tòng a　jiē zhe yí liàng liàng zhuāng zhe Měi guó bīng hé guó mín dǎng shì bīng de qì chē shǐ guo lai le

好痛啊！接着一辆辆装着美国兵和国民党士兵的汽车驶过来了。

yì tiān wǒ hé wài pó shōu tān huí jiā jiàn yǒu rén yào chū ràng dòu jiāng tān wài pó jiù jué dìng mǎi xia
一天，我和外婆收摊回家，见有人要出让豆浆摊，外婆就决定买下

lai cóng cǐ wài pó jiù bù féng yī fu le gǎi zuò dòu jiāng wài pó hái mǎi le hěn duō huáng dòu tā mó
来。从此，外婆就不缝衣服了，改做豆浆。外婆还买了很多黄豆，她磨

dòu jiāng shí wǒ jiù zài páng biān bāng máng mó dòu jiāng hái zhēn yǒu qù yǎn kàn zhe yí lì lì huáng dòu jìn le mò
豆浆时我就在旁边帮忙。磨豆浆还真有趣，眼看着一粒粒黄豆进了磨

zi li chū lai jiù biàn chéng dòu jiāng le zhēn shén qí a
子里，出来就变成豆浆了，真神奇啊。

可是，没过多久，我们旁边开了一个小吃铺，专卖外国罐头鲜奶，每杯只要三百元（旧币），而我们的豆浆每碗要五百元。大伙儿当然都到那边吃了，我们的生意一天不如一天。我真是不服气：为什么不但外国人欺负我们中国人，连外国货都要挤垮我们中国货啊？

这豆浆摊是没法开了，外婆和我决定卖白兰花挣钱。第二天，我和外婆到花店批发鲜花去街上卖。我拎着花篮，好家伙，花篮可真沉啊，不过里面的鲜花可真好看，希望能卖个好价钱。这天的运气不赖，一会儿就来了个漂亮阿姨，买了一枝花。

bù jiǔ　　yí gè Měi guó bīng lǒu zhe yí gè shí máo nǚ láng zǒu guo lai　　suí shǒucóng wǒ de huā lán li ná
不久，一个美国兵搂着一个时髦女郎走过来，随手从我的花篮里拿

le yì duǒ huā　　chā zài nǚ láng de tóushang　　rán hòu dà yáo dà bǎi de zǒu le　　zěn me jiù zhè me zǒu le
了一朵花，插在女郎的头上，然后大摇大摆地走了。怎么就这么走了，

tā yǐ wéi huā shì tā jiā de　　wèi　　xiānsheng nǐ hái méi gěi qián ne　　wǒ zài tā shēnhòu dà hǎn　　tā
他以为花是他家的？"喂，先生，你还没给钱呢！"我在他身后大喊。他

lián tóu dōu méi huí yí xià　　tài bú xiànghuà le　　shì kě shā bù kě rǔ
连头都没回一下。太不像话了，士可杀不可辱！

wǒ zhuī shàng qián qu xiàng Měi guó bīng yào qián   tā rén gāo mǎ dà   yì bā zhang jiù bǎ wǒ dǎ dǎo zài dì
我 追 上 前 去 向 美 国 兵 要 钱，他 人 高 马 大，一 巴 掌 就 把 我 打 倒 在 地。

wài pó hé tā jiǎng lǐ   yě bèi dǎ le yì quán   yì tóu shuāi zài mǎ lù shang   jiù zài zhè shí   yí liàng qì chē
外 婆 和 他 讲 理，也 被 打 了 一 拳，一 头 摔 在 马 路 上。就 在 这 时，一 辆 汽 车

jí shǐ guo lai   wǒ xià de dà jiào   wài pó   xiǎo xīn   kě shì
疾 驶 过 来，我 吓 得 大 叫："外 婆，小 心 ……" 可 是 ……

汽车从外婆身上轧了过去，外婆她……开车的美国兵正眼都没瞧一下，载着刚才的一男一女一溜烟地把车开走了。旁边的警察无可奈何地说："我也不敢管啊。"我绝望了：爷爷、妈妈、外婆都死了，爸爸下落不明，我现在一个亲人都没有了，我该怎么办啊！

wǒ huí dào jiā dé zhī wài pó de fáng zi yǐ bèi èr fángdōngmài gěi bié ren le wǒ qì fèn de duì mǎi
我回到家，得知外婆的房子已被二房东卖给别人了。我气愤地对买

zhǔshuō nǐ zhàn le wǒ de fáng zi nà wǒ yǐ hòu zhù nǎ a nà rén dà hǒu zhè fáng zi shì wǒ
主说："你占了我的房子，那我以后住哪啊？"那人大吼："这房子是我

de nǐ mǎshànggěi wǒ gǔn dàn shuō zhe jiù bǎ wǒ de dōng xi wǎngwài rēng wǒ nǎo le zěn me zhǎo qī
的，你马上给我滚蛋！"说着就把我的东西往外扔。我恼了，怎么着，欺

fu wǒ nián jì xiǎo wǒ pīn mìngyòngnǎo daizhuàngguo qu bǎ tā zhuàngfān zài dì
负我年纪小？我拼命用脑袋撞过去，把他撞翻在地。

zhànzhēng dǎ xiǎng le   zǐ dàn xiàng liú xīng yí yàng fēi guo lai   wǒ duǒ zài yí hù rén jiā de mén kǒu   xià
战 争 打 响 了 ，子 弹 像 流 星 一 样 飞 过 来 。我 躲 在 一 户 人 家 的 门 口 ，吓

de zhí dǎ duō suo   yí gè guó míndǎng shì bīng fā xiàn le wǒ   lì kè bā xia wǒ deshàng yī chuānzài zì jǐ shēn
得 直 打 哆 嗦 。一 个 国 民 党 士 兵 发 现 了 我 ，立 刻 扒 下 我 的 上 衣 穿 在 自 己 身

shang bá tuǐ jiù pǎo le   wǒ jué de yǒu diǎn hǎo xiào   tā yí dà bǎ nián jì le   jìng rán hái néngchuānshang
上 ，拔 腿 就 跑 了 。我 觉 得 有 点 好 笑 ：他 一 大 把 年 纪 了 ，竟 然 还 能 穿 上

wǒ de yī fu   zhè ge rén wèi le táo mìng   zhēn shì shén me bàn fǎ dōu xiǎng de chū lái
我 的 衣 服 。这 个 人 为 了 逃 命 ，真 是 什 么 办 法 都 想 得 出 来 。

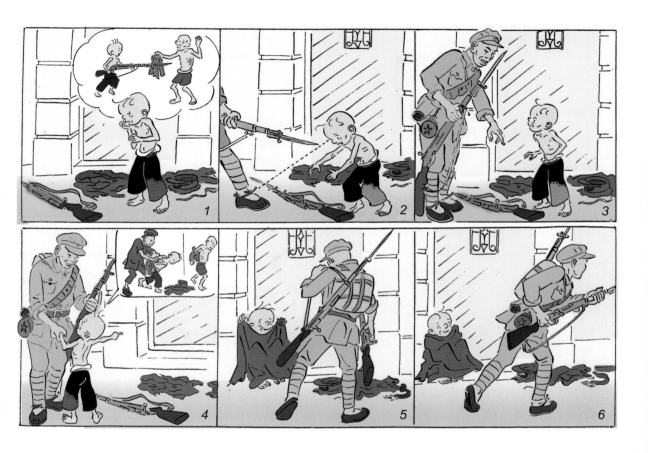

wǒ dī tóu kàn jian nà rén rēng xia de bù qiāng　xīn xiǎng　wǒ bǎ zhè qiāng dài zhe　kàn nǐ hái gǎn bu gǎn
我低头看见那人扔下的步枪，心想，我把这枪带着，看你还敢不敢

bù huán wǒ yī fu　yí gè jiě fàng jūn shū shu pǎo lai wèn wǒ　xiǎo dì di　zhè shì shuí de qiāng　wǒ bǎ
不还我衣服！一个解放军叔叔跑来问我："小弟弟，这是谁的枪？"我把

jīng guò gào su le tā　tā shuō　nǐ dāi zài zhè er bié dòng　wǒ qù zhuā zhù tā　wǒ lì kè pò tì wéi
经过告诉了他。他说："你呆在这儿别动，我去抓住他！"我立刻破涕为

xiào　zhēn shì yù dào dà jiù xīng le ya
笑：真是遇到大救星了呀！

wǒ lěng de zhí duō suo   biàn bǎ gāng cái nà ge shì bīng tuō xia lai de yī fu guǒ zài shēn shang   méi guò duō
我冷得直哆嗦，便把刚才那个士兵脱下来的衣服裹在身上。没过多

jiǔ   nà ge shì bīng jiù bèi jiě fàng jūn shū shu yā hui lai le   tā kū sàng zhe liǎn   bǎ yī fu huán gěi le wǒ
久，那个士兵就被解放军叔叔押回来了。他哭丧着脸，把衣服还给了我。

xiè xie jiě fàng jūn shū shu   wǒ gāo xīng de hǎn   shū shu xiào xiao shuō   bú yòng xiè   zhè shì wǒ yīng gāi
"谢谢解放军叔叔！"我高兴地喊。叔叔笑笑说："不用谢，这是我应该

zuò de   wǒ kāi xīn jí le   wǒ men qióng kǔ rén zǒng suàn yào fān shēn luo
做的。"我开心极了：我们穷苦人总算要翻身啰！

《三毛迎解放》（1962 年）

　　《三毛迎解放》描绘了三毛在解放前，与穷苦的人民一起，经历着动荡和苦难，后来结识了中共地下党领导的《少年报》报社的编辑叔叔，在编辑叔叔的关怀引导下，参加了力所能及的革命活动，最后终于迎来解放军解放了上海。

　　三毛机智、勇敢地协助地下党进行革命工作，经常弄出一些让人意想不到的妙点子，给对方来个措手不及，当然，偶尔也会弄巧成拙，让人忍不住笑出来。

　　这个故事在 1962 年的"六·一"国际儿童节发表，是张爷爷给广大少年儿童的一份节日礼物。

夜晚，三毛在黄浦江边睡觉。他梦见了江上巨大的轮船、美丽的水鸟……突然滚滚巨浪向他涌来，三毛吓得一骨碌爬起来。他看见一大群人正高呼口号游行，心想：嘻嘻，这种场面也挺壮观的哟！

jǐng chá ná lai shuǐlóng tóuxiàngyóu xíng duì wuměngshè　dàn rén men yì diǎn yě bú hài pà　hǎn de gèng dài
警察拿来水龙头向游行队伍猛射，但人们一点也不害怕，喊得更带

jìn le　Sānmáonáo zhe nǎo ménshang de sān gēn máo　xīn li fàn dí gu　zhè xiē rén méichuān yǔ yī　zěn me
劲了。三毛挠着脑门上的三根毛，心里犯嘀咕：这些人没穿雨衣，怎么

dōu bú pà shuǐchōng a　　tā tū rán líng jī yí dòng　bǎ yī fu yì tuō　zhàn zài shuǐ li —— zhè lín yù kě
都不怕水冲啊？他突然灵机一动，把衣服一脱，站在水里——这淋浴可

zhēnshuǎng a
真爽啊！

131

rén menchōngshang qu qiǎngjǐng chá de shuǐlóng tóu
人们 冲 上去 抢 警察 的 水 龙 头。

Sānmáo yě yí gè jiàn bù chōngshangqián   duì zhe jǐng
三毛也 一个 箭 步冲 上前, 对着警

chá de gē bo jiù yǎoshang yì kǒu   jǐng chá téng de áo áo zhí jiào   lìng yí gè rén chèn jī duó guo shuǐlóng tóu
察 的 胳 膊 就 咬上 一 口,警察 疼得 嗷嗷 直 叫,另 一 个人 趁 机 夺 过 水 龙 头,

bǎ jǐng cháchōng le gè dǐ cháotiān   Sānmáo dà xiào   hā hā   ràng nǐ yě chángchang lín yù de zī wèi
把 警察 冲 了 个 底 朝天。三 毛 大 笑:哈哈,让你也 尝 尝 淋 浴 的 滋味!

yóu xíng huí lai　　Sānmáo bǎ shī tòu de yī fu dā zàishéng zi shangliàngshài　　méi kù zi chuānzěn me bàn
游行回来，三毛把湿透的衣服搭在绳子上晾晒。没裤子穿怎么办

ne　nà jiù duǒ zài mù tǒng li ba　　āi yā　shuí zá de zhǐ tuán　　yuán lái shì Sānmáo de xiǎo huǒ bàn zài
呢？那就躲在木桶里吧。"哎呀，谁砸的纸团？"原来是三毛的小伙伴在

gēn tā kāi wán xiào　　tā men hái yào bǎ Sānmáo de kù zi qiǎngzǒu　Sānmáo jí de dà jiào　　tǎo yàn　kuài
跟他开玩笑。他们还要把三毛的裤子抢走。三毛急得大叫："讨厌，快

bǎ kù zi huán gěi wǒ
把裤子还给我！"

tā men zhèng zài lā chě yī fu yí gè dài yǎn jìng de rén jí cōng cōng de zǒu guo mù tǒng tū rán dǎo
他们正在拉扯衣服，一个戴眼镜的人急匆匆地走过。木桶突然倒

le zhèng hǎo bǎ hòu mian de yí gè rén bàn dǎo le Sān máo shuāi de tóu yūn mù xuàn yǎn mào jīn huā tū rán
了，正好把后面的一个人绊倒了。三毛摔得头晕目眩，眼冒金花。突然，

tā fā xiàn yì zhī shǒu qiāng cóng nà rén de hòu yāo shang lù le chū lái Sān máo dà chī yì jīng hǎo jiā huo
他发现一支手枪从那人的后腰上露了出来。三毛大吃一惊："好家伙，

zhè rén yǒu shǒu qiāng kěn dìng shì huài dàn
这人有手枪，肯定是坏蛋！"

huài dàn tái shǒu jiù yào dǎ Sān máo zhè shí yí gè chuānzhe gāo gēn xié de shí máo nǚ láng zǒu guo lai qīng
坏蛋抬手就要打三毛。这时一个穿着高跟鞋的时髦女郎走过来，轻

shēng duì tā shuō kuài zǒu nà rén zuò chē pǎo le Sān máo yǎn zhū zi gū lu yí zhuàn mǎshàngmíng bai
声对他说："快走，那人坐车跑了。"三毛眼珠子骨碌一转，马上明白

le yuán lái tā men yào gēnzōng nà ge dài yǎn jìng de shū shu wǒ yí dìng bù néngràng zhè liǎng ge huài dàn de guǐ jì
了：原来他们要跟踪那个戴眼镜的叔叔。我一定不能让这两个坏蛋的诡计

dé chěng hē hē zhè xià kě yǒu hǎo xì kàn le
得逞。呵呵，这下可有好戏看了！

Sānmáo hé huǒbànmen hé jì le yí xià，yú shì gù yì zhuāngzhe zhuī dǎ，wéi zhe zhè yì nán yì nǚ zhuàn
三毛和伙伴们合计了一下，于是故意装着追打，围着这一男一女转

lai zhuàn qu，bǎ zhè liǎng rén jí de yòu shì dèngyǎn yòu shì duò jiǎo。Sānmáozhuā qi yì tuán ní bā rēng guo qu，
来转去，把这两人急得又是瞪眼又是跺脚。三毛抓起一团泥巴扔过去，

tóngbàn tóu yì dī，ní bā "pā" de dǎ zài zhè liǎng rén de liǎnshang，āi yā，biànchéng le dà huā liǎn！Sān
同伴头一低，泥巴"啪"地打在这两人的脸上，哎呀，变成了大花脸！三

máo tā men xī xiào zhe sā tuǐ jiù pǎo
毛他们嬉笑着撒腿就跑。

Sānmáo hé tóngbàn yì qǐ mài bào　méi yí huì er　léi shēng jiù hōnglōnglōng de xiǎng le　dòu dà de yǔ
三毛和同伴一起卖报。没一会儿，雷声就轰隆隆地响了，豆大的雨

diǎn zi pā dā pā dā de diào xia lai　zá zài Sānmáo de xiǎo nǎo daishang　Sānmáo kàn zhe bèi yǔ lín shī de bào
点子啪嗒啪嗒地掉下来，砸在三毛的小脑袋上。三毛看着被雨淋湿的报

zhǐ　nán guò jí le　xīn xiǎng　děng wǒ zhǎng dà le　yí dìng yào fā míng bú pà yǔ lín de bào zhǐ　kě shì xiàn zài
纸，难过极了，心想：等我长大了一定要发明不怕雨淋的报纸，可是现在

wǒ yào shi yǒu néng tián bǎo dù pí de bào zhǐ gāi duō hǎo a
我要是有能填饱肚皮的报纸该多好啊。

三毛迎解放
雨中巧遇

yí gè dǎ sǎn de rén zǒu le guò lái　　Sānmáo yǎn jing yí liàng　yí　zhè bú jiù shìshàng cì nà ge bèi
一个打伞的人走了过来。三毛眼睛一亮：咦，这不就是上次那个被

gēnzōng de yǎn jìng shū shu ma　nà rén yě rèn chu le Sānmáo　biànchēngzhe sǎnsòng tā men　Sānmáo yǎn jing shī
跟踪的眼镜叔叔吗？那人也认出了三毛，便撑着伞送他们。三毛眼睛湿

rùn le　shū shuzhēn shì dà hǎo rén　yào shi néngduōpèngdào zhèyàng de hǎo rén　jiù suànràng wǒ bǎ nǎoménshang
润了：叔叔真是大好人。要是能多碰到这样的好人，就算让我把脑门上

de sān gēn máoquán bá diào wǒ dōuyuàn yi
的三根毛全拔掉我都愿意。

yǎn jìng shū shu kàn jian bào zhǐ shī le   jiù hǎo xīn de gěi Sānmáo yì xiē qián   Sānmáo xīn xiǎng   bào zhǐ
眼镜叔叔看见报纸湿了，就好心地给三毛一些钱。三毛心想，报纸

lín shī yào guài yě děi guài lǎo tiān yé   zěn me néng ràng shū shu huā qián ne   tā sǐ huó dōu bù kěn shōu   shū shu
淋湿要怪也得怪老天爷，怎么能让叔叔花钱呢？他死活都不肯收。叔叔

xiào le xiào   xiě le yì zhāng zhǐ tiáo fàng zài mén kǒu   dìng bào yí yuè   měi tiān zhōng wǔ lái qǔ   zhēn shì tài hǎo
笑了笑，写了一张纸条放在门口："订报一月，每天中午来取"。真是太好

le   Sānmáo jiē le yì bǐ dà shēng yi o
了，三毛接了一笔大生意哦！

yǒu yì tiān　　yǎn jìng shū shu yòu lái qǔ bào zhǐ　　dé zhī Sānmáobìng le　　lì kè lái kànwàng tā　　Sān

有一天，眼镜叔叔又来取报纸，得知三毛病了，立刻来看望他。三

máo guǒ zài cǎo xí li bú zhù de duō suo　dī shēngshēn yín zhe　　lěng a　　lěng a　　jiù jiu wǒ　　shū shu

毛裹在草席里不住地哆嗦，低声呻吟着："冷啊，冷啊，救救我！"叔叔

xiān kai Sānmáo de xí zi mō le mō tā de é tou　　wā　　hǎo tàngshǒu　Sānmáo wú zhù de kàn zhe shū shu

掀开三毛的席子摸了摸他的额头，哇，好烫手！三毛无助地看着叔叔，

wèn　　wǒ shì bu shì kuài yào sǐ le

问："我是不是快要死了？"

yǎn jìng shū shu jiào lai rén lì chē　dài Sānmáo qù　yī yuàn kàn bìng　méi xiǎng dào guà hào fèi nà me guì
眼镜叔叔叫来人力车，带三毛去医院看病。没想到挂号费那么贵，

shū shu dài de qián bú gòu　chángyán dào　yǒu qián zǒu biàn qiān lǐ　wú qián cùn bù nán xíng　hái zhēn shì yǒu dào
叔叔带的钱不够。常言道"有钱走遍千里，无钱寸步难行"，还真是有道

lǐ ne　shū shu ná chū tā zuì xīn ài de gāng bǐ zuò wéi dǐ yā　Sānmáo zhuài zhù shū shu de yī jiǎo　shū
理呢。叔叔拿出他最心爱的钢笔作为抵押。三毛拽住叔叔的衣角："叔

shu bú yào ya　nín bù néng wèi le wǒ　dǐ yā le nín xīn ài de bǎo bèi a
叔，不要呀，您不能为了我，抵押了您心爱的宝贝啊！"

kàn wán bìng　　yǎn jìng shū shu bǎ Sān máo dài dào le　zì　jǐ　gōng zuò de Shào nián bào Shè　 bào shè de shū shu
看完病，眼镜叔叔把三毛带到了自己工作的少年报社。报社的叔叔

ā　yí　dōu gēn yǎn jìng shū shu　yí yàng qīn qiè　　tā men ná　lai hòu hòu de bào zhǐ　　ràng Sān máo tǎng zài shàng mian
阿姨都跟眼镜叔叔一样亲切。他们拿来厚厚的报纸，让三毛躺在上面，

hái gài shang le　dà　yī　Sān máo jué de hǎo nuǎn huo　 hǎo jiǔ dōu méi shuì guo zhè me hǎo de　chuáng le　Sān máo
还盖上了大衣。三毛觉得好暖和，好久都没睡过这么好的"床"了，三毛

bù　zhī bù　jué　jiù shuì zháo le
不知不觉就睡着了。

三毛睁开眼睛一看，太阳已经晒屁股了。叔叔阿姨们工作了一夜，看见三毛醒了，关切地问他病情，还拿来药给他吃。三毛突然产生了一个怪念头：我要是每天都生病就好了，就能永远待在这里了。

Sānmáo de gù shi dēngbào le　　Sānmáo pěngzhe hòu hòu yì dié xīn chū de　Shǎonián Bào　xiǎo xuéshēng
三毛的故事登报了。三毛捧着厚厚一叠新出的《少年报》，小学生

men lǐ sāncéngwài sāncéng de bǎ tā wéi zài le zhōngyāng　zhēngzhe yào mǎi bào zhǐ　méi guò duōchángshí jiān
们里三层外三层地把他围在了中央，争着要买报纸。没过多长时间，

bào zhǐ jiù bèiqiǎnggòu yì kōng le　kàn zhe xiǎo xuéshēngmen jīn jīn yǒu wèi de dú zhe zì jǐ de gù shi　Sān
报纸就被抢购一空了。看着小学生们津津有味地读着自己的故事，三

máo xīn li lè zī zī de　dāngmíngxīng de gǎn jué hái mán bú cuò de ma
毛心里乐滋滋的：当明星的感觉还蛮不错的嘛。

yí gè xiǎo nán hái kàn jian Sān máo zài mài bào zhǐ chǎo zhe ràng mā ma gěi tā mǎi yí fèn nán hái de dà
一 个 小 男 孩 看 见 三 毛 在 卖 报 纸 , 吵 着 让 妈 妈 给 他 买 一 份 。 男 孩 的 大

guān bà ba kàn le bào zhǐ hòu qì de dǎ le tā yì bā zhang mā ma xīn téng ér zi biàn hé bà ba niǔ dǎ
官 爸 爸 看 了 报 纸 后 , 气 得 打 了 他 一 巴 掌 。 妈 妈 心 疼 儿 子 , 便 和 爸 爸 扭 打

le qǐ lái xiǎo nán hái ruò wú qí shì de xiǎng nǐ men duō dǎ yí huì ba wǒ kě yǐ tīng gù shi lou yú shì
了 起 来 。 小 男 孩 若 无 其 事 地 想 : 你 们 多 打 一 会 吧 , 我 可 以 听 故 事 喽 ! 于 是

tā jīn jīn yǒu wèi de tīng Sān máo gěi tā jiǎng bào shang de gù shi
他 津 津 有 味 地 听 三 毛 给 他 讲 报 上 的 故 事 。

nán hái de bà ba bèi dǎ de yí pì gu diē zài dì shang　jǐng chá pǎo lai dà shēng hē chì dào　　shén me
男孩的爸爸被打得一屁股跌在地上。警察跑来大声呵斥道："什么

rén gǎn zài zhè li dǎo luàn　　tā zǒu jìn yí kàn　jìng rán shì jú zhǎng　xià de mào chu le yì shēn lěng hàn　gǎn
人敢在这里捣乱？"他走近一看，竟然是局长，吓得冒出了一身冷汗，赶

máng lì zhèng jìng lǐ　jú zhǎng hǎo　jú zhǎng hé tā de lǎo pó yě chī le yì jīng　páng guān de qún zhòng hā
忙立正敬礼："局长好！"局长和他的老婆也吃了一惊，旁观的群众哈

hā dà xiào　liǎng rén hóng zhe liǎn　nù qì chōng chōng de zǒu le
哈大笑。两人红着脸，怒气冲冲地走了。

眼镜叔叔交给三毛一份文件，让他去油印传单，临走前还特意叮嘱他不能让警察发现文件。三毛藏好文件，说："放心吧，保证完成任务！"还调皮地做了个鬼脸。三毛来到路口，看见警察在挨个盘查行人，三毛寻思着：这可如何是好呢？

一个卖烧饼的走过来，三毛灵机一动，买了个烧饼。他把烧饼咬开一个口，把文件塞到烧饼的夹层里，顺利地通过了警察的盘查。警察没检查到什么可疑物品，就随手把三毛的烧饼打落到地上。三毛捡起烧饼，暗笑：是我太聪明了还是这个警察太傻了？

三毛快步走着，突然一只手拉住了他。他刚想大喊救命，听见了小伙伴的声音："三毛，别怕，是我呀！"三毛大舒一口气："嗨，早说啊，你想吓死我呀！"然后他们一起来到船上，悄悄商量印传单的事。

Sān máo gěi xiǎo dì di yí gè tiě guàn zi ràng tā zài wài mian fàng shào Sān máo hé xiǎo huǒ bàn duǒ zài
三毛给小弟弟一个铁罐子，让他在外面放哨。三毛和小伙伴躲在

chuán cāng li yìn chuán dān guò le yí huì er yǒu liǎng gè mò shēng rén zǒu le guò lái xiǎo dì di gǎn máng qiāo
船舱里印传单。过了一会儿，有两个陌生人走了过来，小弟弟赶忙敲

tiě guàn zi kuāng kuāng kuāng sān shēng xiǎng Sān máo tīng dào xiǎng shēng lì kè bǎ chuán dān cáng le qǐ lái
铁罐子，"哐哐哐"三声响。三毛听到响声，立刻把传单藏了起来。

yuán lái zhè liǎng rén shì chá hù kǒu de tā men xiān kāi chuán cāng de lián zi zhǐ jiàn Sān máo hé tóng bàn

原来这两人是查户口的。他们掀开船舱的帘子，只见三毛和同伴

chuān zhe dà ren de yī fu tú zhe huā liǎn zài yǎn xì tā men bèi zhè jǐ gè hái zi de huá jī bàn xiàng dòu

穿着大人的衣服、涂着花脸在演戏。他们被这几个孩子的滑稽扮相逗

lè le zhè liǎng rén xiào zhe shuō yuán lái shì yì qún liàn zá shuǎ de xiǎo bu diǎn zǒu ba zǒu ba Sān máo

乐了。这两人笑着说："原来是一群练杂耍的小不点。走吧走吧。"三毛

hé huǒ bàn men shū le yì kǒu qì hǎo xiǎn a

和伙伴们舒了一口气："好险啊！"

Sānmáo hé tóngbàn zhèng yào wǎng qiáng shang tiē chuándān　hū rán fā xiàn pángbiān yí gè rén jiǎ zhuāng kàn bào
三毛和同伴正要往墙上贴传单,忽然发现旁边一个人假装看报,

què bú zhù de tōu kàn tā men　Sānmáo jué de zhè rén hěn kě yí　yú shì xiàng tóngbàn dì le gè yǎn sè　qíng
却不住地偷看他们。三毛觉得这人很可疑,于是向同伴递了个眼色:情

kuàng bú miào　sān shí liù jì　zǒu wéi shàng jì　nà rén jiàn cǐ qíng jǐng　jǐn gēn bú fàng
况不妙,三十六计,走为上计!那人见此情景,紧跟不放。

Sānmáo jīng guò yí hù rén jiā de mén kǒu   shùnshǒu bǎ chuándān sāi dào le xìn xiāng li   tè wù zhuīshang
三毛经过一户人家的门口，顺手把传单塞到了信箱里。特务追上

lái sōu shēn   dāng rán shén me yě méi chá dào   jiù fàng tā men zǒu le   děng dào tè wù huí dào le jiā   dǎ kāi xìn
来搜身，当然什么也没查到，就放他们走了。等到特务回到了家，打开信

xiāng   fā xiàn lǐ miàn yǒu zhāng chuándān   yuán lái Sānmáo sāi de xìn xiāng jìng shì tè wù jiā de   tè wù qì jí
箱，发现里面有张传单，原来三毛塞的信箱竟是特务家的。特务气急

bài huài   wǒ jìng rán bèi zhè xiǎo jiā huo gěi shuǎ le
败坏："我竟然被这小家伙给耍了！"

眼镜叔叔让三毛和同伴假装卖香烟，伺机侦察兵营的情况。一个

士兵过来买烟，同伴讨好地给他点了一支烟。不想那士兵拿了烟转身

便走，三毛追过去大喊："还没给钱呢！"门卫恶狠狠地将他一把揪住。

三毛愤愤地想：这些士兵还讲不讲道理啊，太霸道了！

yí gè zhǎngguān zǒu chu lai wèn   zěn me huí shì   Sānmáo bǎ qíngkuàng gào su le tā   zhǎngguān
一个长官走出来问："怎么回事？"三毛把情况告诉了他。长官

bǎ nà ge shì bīng jiào le guò lái   Sānmáo dé yì de xiǎng   zhǎngguān yí dìng huì jiào xun nà ge bù jiǎng lǐ de shì
把那个士兵叫了过来。三毛得意地想：长官一定会教训那个不讲理的士

bīng   shuí zhī   zhǎngguān bǎ sōu chu de xiāngyān zhuāng jìn le zì jǐ de yāo bāo   Sānmáo shī wàng le   zhēn shì
兵。谁知，长官把搜出的香烟装进了自己的腰包。三毛失望了：真是

tiān xià wū yā yì bān hēi   kàn lai wǒ zhè cì yuān dà tóu shì dāngdìng le
天下乌鸦一般黑，看来我这次冤大头是当定了。

155

yì zhāo bù xíng   yǎn jìng shū shu yòu ràng Sānmáo hé tóng bàn gù yì bǎ pí qiú tī jìn bīng yíng   Sānmáo gěi
一招不行，眼镜叔叔又让三毛和同伴故意把皮球踢进兵营。三毛给

le wèi bīng yì bāo xiāng yān   gāng yào jìn qu jiǎn qiú tū rán qiú bèi yì jiǎo tī le chū lái zhòng zhòng zá zài Sānmáo
了卫兵一包香烟，刚要进去捡球，突然球被一脚踢了出来，重重砸在三毛

tóu shang   yí gè zhǎng guān chū lai   è hěn hěn de shuō   kuài gǔn   Sānmáo róu zhe tóu shang de bāo   xīn
头上。一个长官出来，恶狠狠地说："快滚！"三毛揉着头上的包，心

xiǎng bù gěi jìn jiù bù gěi jìn nà me xiōng gàn má
想：不给进就不给进，那么凶干吗？

Sānmáo yòuxiǎng le yì zhāo tā kàn jian bīngyíngpángbiān yǒu kē dà shù biàn cēng de yí xià páshang
三毛又想了一招。他看见兵营旁边有棵大树，便"噌"地一下爬上

le shùshāo zhèngdāng tā yàoguānchá bīngyíng zhǐ tīng jian shù xiàchuán lai è hěn hěn deshēngyīn gànshén me
了树梢。正当他要观察兵营，只听见树下传来恶狼狼的声音："干什么

de kuài xià lai yí gè dāngbīng dezhèng ná zheshǒuqiāngduì zhe tā Sānmáo xià de chà diǎncóngshùshang
的，快下来！"一个当兵的正拿着手枪对着他。三毛吓得差点从树上

diào xia lai
掉下来。

shù shí zài shì tài gāo le　tóng bàn ràng sān máo cǎi zài zì jǐ de jiān bǎng shang xià lai　tóng bàn méi zhàn
树实在是太高了，同伴让三毛踩在自己的肩膀上下来。同伴没站

wěn　āi yā　liǎng rén dōu yí pì gu shuāi zài dì shang　Sān máo rěn zhe tòng pá qi lai　piàn shì bīng shuō zài
稳，"哎呀！"两人都一屁股摔在地上。三毛忍着痛爬起来，骗士兵说在

zhuō zhī liǎo　shì bīng yì xiān Sān máo de yī fu　zhǐ jiàn yì zhī zhī liǎo fēi le chū lái　shì bīng xiào zhe zǒu le
捉知了。士兵一掀三毛的衣服，只见一只知了飞了出来，士兵笑着走了。

Sān máo sōng le kǒu qì　xìng hǎo wǒ zǎo yǒu zhǔn bèi
三毛松了口气："幸好我早有准备。"

Sānmáo hé tóngbàn zài bīngyíngmén kǒu bǎi tān　　yí gè dāngbīng de mánhèng de shuō　　zhè er bù xǔ bǎi
三毛和同伴在兵营门口摆摊。一个当兵的蛮横地说："这儿不许摆

tān　　yú shì　bù yóu fēn shuō bǎ lán zi yì jiǎo tī fān xiāngyān sǎ le yí dì　 jǐ gè dāngbīng de jiù
摊！"于是，不由分说，把篮子一脚踢翻，香烟撒了一地。几个当兵的就

xiàng è láng kàn dào liè wù yí yàng　yì qí pūshang lai qiǎngxiāngyān　Sānmáo qì de yǎn lèi dōu yào xià lai le
像恶狼看到猎物一样，一齐扑上来抢香烟。三毛气得眼泪都要下来了，

duò zhe jiǎo dà hǎn　　zhùshǒu　nǐ men zhè xiē qiángdào
跺着脚大喊："住手，你们这些强盗！"

dāngbīng de bǎ xiāngyān qiǎng guāng hòu dà yáo dà bǎi de zǒu le   Sānmáo hé tóngbàn qì de dà rǎng   dàn
当 兵 的 把 香 烟 抢 光 后 大 摇 大 摆 地 走 了。三 毛 和 同 伴 气 得 大 嚷，但

yě wú jì yú shì suàn le hái shi xiānshōu shí shōu shi huí jiā ba jūn zǐ bàochóu shí nián bù wǎn ma   tū
也 无 济 于 事。算 了，还 是 先 收 拾 收 拾 回 家 吧，君 子 报 仇 十 年 不 晚 嘛。突

rán tā men fā xiàn le guó míndǎng shì bīng de xiōngzhāng biàn dài gěi le yǎn jìng shū shu   shū shu shuō   zhè tài
然 他 们 发 现 了 国 民 党 士 兵 的 胸 章，便 带 给 了 眼 镜 叔 叔。叔 叔 说："这 太

yǒuyòng le   Sānmáo gāo xìng jí le gāng cái de bú kuài lì kè pāo dào le jiǔ xiāo yún wài
有 用 了！"三 毛 高 兴 极 了，刚 才 的 不 快 立 刻 抛 到 了 九 霄 云 外。

Sānmáo hé tóngbàn zài yí hù rén jiā ménqián wán   nà jiā zhǔ ren zǒu guo lai   è hěn hěn de shuō   nǐ
三毛和同伴在一户人家门前玩，那家主人走过来恶狠狠地说："你

men zhè xiē xiǎo biě sān   gěi wǒ gǔn yuǎn diǎn   Sānmáo xīn xiǎng   yǒu qián rén jiù shì zhè me mán bù jiǎng lǐ   wǒ
们这些小瘪三，给我滚远点！"三毛心想：有钱人就是这么蛮不讲理，我

piān bù zǒu   kàn nǐ néng bǎ wǒ zěn me yàng   kě shì nà rén chū mén shí   huàn le   yì shēn bǔ ding yī fu   Sān
偏不走，看你能把我怎么样！可是那人出门时，换了一身补丁衣服。三

máo dǎ pò nǎo dai yě xiǎng bu míng bai le   zǎ biàn de nà me kuài ya
毛打破脑袋也想不明白了：咋变得那么快呀？

Sānmáo hé tóngbàn lái dào bào shè　 kàn jian yǒu ge lǎo ren zài mài guā zi　 guā zi kě xiāng le　 rě de
三毛和同伴来到报社，看见有个老人在卖瓜子。瓜子可香了，惹得

Sānmáo kǒu shuǐ dōu kuài liú xia lai le　 tā bǎ kǒu dai li jǐn yǒu de qián tāo le chū lái　 mǎi le liǎng bāo　 zhè
三毛口水都快流下来了。他把口袋里仅有的钱掏了出来，买了两包。这

shí hū rán kuáng fēng dà zuò　 lǎo ren de mào zi bèi dà fēng juǎn qi　 yā　 bú jiù shì gāng cái nà ge rén ma
时忽然狂风大作，老人的帽子被大风卷起。呀，不就是刚才那个人吗？

zhēn shì yuān jiā　 lù zhǎi
真是冤家路窄！

162

yuán lái nà rén shì wěizhuāng hòu lái jiān shì bào shè de tè wù bú liào yí zhèn dà fēngràng tā lù chū le yuán
原来那人是伪装后来监视报社的特务,不料一阵大风让他露出了原

xíng Sānmáo hé huǒ bàn men bù jīn hā hā dà xiào tè wù jiǎn qǐ cǎomàohuāngmángtáo zǒu le kàn lai bù
形。三毛和伙伴们不禁哈哈大笑,特务捡起草帽慌忙逃走了。看来不

guǎn shì duō me jiǎo huá de hú li dōu yǒu bù xiǎo xīn lù chū wěi ba de shí hou Sānmáo tā men yòu lì le yì
管是多么狡猾的狐狸,都有不小心露出尾巴的时候。三毛他们又立了一

gōng yí gè gè lè de xiǎo zuǐ dōu hé bu lǒng
功,一个个乐得小嘴都合不拢。

Sānmáo lái dào bào shè　　fā xiàn bào shè bèi fēng le　　lián bào shè de pái zi yě bèi tè wù zhāi xia lai

三毛来到报社，发现报社被封了，连报社的牌子也被特务摘下来

le　　zhè shí yí liàng qiú chē fēi chí ér guò　　chēshanghái yǒu ná zhe wǔ qì de shì bīng　　Sānmáo yì pāi nǎo

了。这时一辆囚车飞驰而过，车上还有拿着武器的士兵。三毛一拍脑

dai　dà jiào dào　　dà shì bú miào　yǎn jìng shū shu yí dìng bèi zhèbānghuài dànzhuā qu le

袋，大叫道："大势不妙！眼镜叔叔一定被这帮坏蛋抓去了！"

Sānmáo hé tóngbàn jí mángzhuī guo qu xiǎngkàn kan huài dàn yào bǎ shū shu dài dào nǎ qù tóngbàn yí bù
三毛和同伴急忙追过去，想看看坏蛋要把叔叔带到哪去。同伴一不

xiǎo xīn shuāidǎo le Sānmáo gǎnmáng bǎ tā lā qi lai kuài zǒu kuài zǒu a kě shì děngdào tā men tái
小心摔倒了，三毛赶忙把他拉起来："快走，快走啊！"可是等到他们抬

tóu yí kàn qiú chē zǎo jiù kāi zǒu le lián yǐng zi dōu méi le Sānmáo jí de kū le yǎn jìng shū shu
头一看，囚车早就开走了，连影子都没了。三毛急得哭了："眼镜叔叔，

nǐ bù néng zǒu a Sānmáo bú ràng nǐ zǒu wū wū
你不能走啊，三毛不让你走，呜呜……"

Sānmáo bái tiān xiǎngzhe yǎnjìng shūshu wǎnshang shuōmènghuà kǒu li hái bù tíng de niàn dao zhe yǎnjìng
三毛白天想着眼镜叔叔，晚上说梦话，口里还不停地念叨着眼镜

shūshu zhè tiān tā zài dà jiē shang kàn dào yí gè rén yí zhè bú shì yǎnjìng shūshu ma Sānmáo xīng fèn
叔叔。这天他在大街上看到一个人。咦，这不是眼镜叔叔吗？三毛兴奋

de pǎo guo qu cóng bèi hòu yì bǎ bào zhù nà rén nà rén chà yì de huí guò tóu lai wèn nǐ shì shuí a
地跑过去，从背后一把抱住那人。那人诧异地回过头来问："你是谁啊？"

āi yuán lái rèn cuò rén le zhēn shì yù mèn
唉，原来认错人了，真是郁闷。

yì zhī mǔ jī bèi kòu zài luókuāngxià　xiǎo jī men wéi zhe luókuāng jī jī de āi jiào zhe　Sānmáo jué de
一只母鸡被扣在箩筐下，小鸡们围着箩筐叽叽地哀叫着。三毛觉得

tā men hěn kě lián　jiù bǎ mǔ jī fàng le　xiǎo jī kàn dào mā ma chū lai le　huānkuài de jiào zhe　Sānmáo
它们很可怜，就把母鸡放了。小鸡看到妈妈出来了，欢快地叫着。三毛

kàn dào cǐ jǐng　yǎn lèi bú zì jué de diào xia lai le　tā yòuxiǎngdào le yǎn jìng shū shu　bù zhī shū shu xiàn
看到此景，眼泪不自觉地掉下来了。他又想到了眼镜叔叔：不知叔叔现

zài zěn me yàng le　shén me shí hou cái néng zài jiàn dào shū shu ne
在怎么样了，什么时候才能再见到叔叔呢？

zhè tiān Sān máo zhèng xiǎng zhe yǎn jìng shū shu tóng bàn pǎo guo lai shuō ā yí jiào tā ā yí qiāoqiāo de
这天，三毛正想着眼镜叔叔，同伴跑过来说阿姨叫他。阿姨悄悄地

gào su Sān máo yǎn jìng shū shu qí shí méi bèi zhuā zǒu Sān máo jīng yà de lèng zhù le jǐ miǎo zhōng hòu cái huí
告诉三毛，眼镜叔叔其实没被抓走。三毛惊讶地愣住了，几秒钟后才回

guò shén lai zhè shì zhēn de ma ā yí xiào zhe diǎn diǎn tóu Sān máo gāo xìng de yí tiào sān chǐ gāo
过神来。"这是真的吗？"阿姨笑着点点头。三毛高兴得一跳三尺高：

tài hǎo le tài hǎo le
"太好了！太好了！"

Sānmáo mào zhe dà yǔ　àn yuē dìng lái gōngyuán děng yǎn jìng shū shu　tū rán yí gè rén lā zhù le tā

三毛冒着大雨，按约定来公园等眼镜叔叔。突然一个人拉住了他。

duō me shú xī de liǎn páng a　Sānmáo yí xià zi pū dào le yǎn jìng shū shu de huái li　kū zhe shuō　shū

多么熟悉的脸庞啊，三毛一下子扑到了眼镜叔叔的怀里，哭着说："叔

shu　wǒ hǎoxiǎng nǐ a　shū shu xiào zhe cā qu le tā liǎnshangde lèi zhū　shuō　Sānmáo　gào su nǐ

叔，我好想你啊！"叔叔笑着擦去了他脸上的泪珠，说："三毛，告诉你

yí gè hǎoxiāo xi　nǐ bèi pī zhǔn jiā rù dì xià shàoxiān duì le

一个好消息，你被批准加入地下少先队了！"

跋

  三毛诞生在1935年。在这本书里，我们从张乐平爷爷创作的《早期三毛》、《战乱中的三毛》、《战后的三毛》、《三毛外传》、《三毛的控诉》、《三毛翻身记》以及《三毛迎解放》中精选出一部分内容，好让大家可以看到更多三毛过去的故事，也更多地去了解三毛。少年儿童出版社出版的《三毛从军记》、《三毛流浪记》、《三毛解放记》和《三毛新生记》共四本书，组成了三毛比较完整的故事。

  看三毛的整个故事，就好像是在看一部中国的现代史。三毛这个只长着三根头发的小男孩，不仅仅是一个中国小男孩，更是一种民族形象的象征。30年代的时候，三毛是一个调皮捣蛋的都市小顽童；到了40年代，三毛从军、流浪，就有了大家最熟悉的《三毛从军记》和《三毛流浪记》；后来三毛迎来了新中国，他就和无数小朋友们一样，有衣穿，有饭吃，还可以上学读书。他就像一个真实存在的小孩子，和大家生活在一起。

  三毛会一直陪伴小朋友们健康地成长！

  本书利用电脑技术对原画精心着色，并配以简练的文字解说和注音，已达到图文并茂的效果。

上海三毛形象发展有限公司

2005 年 7 月 28 日

（上海三毛形象发展有限公司注册商标）

http://www.sanmao.com.cn
http://www.sanmao.cn

我 们 倡 导 天 性 、 率 真 的 阅 读 与 成 长

ISBN7-5324-6710-4 / Z·493

三毛故事集锦
三毛解放记
彩图注音读物
张乐平 原作
上海三毛形象发展有限公司 编
陆 及 装帧

责任编辑 朱丽蓉 王芸美　美术编辑 陈　新
责任校对 王　曙　责任监印 火正宇

出版发行:上海世纪出版股份有限公司 少年儿童出版社
地址:上海延安西路 1538 号　邮编:200052
易文网:www.ewen.cc　少儿网:www.jcph.com
电子邮件:postmaster @ jcph.com

印刷:上海市印刷十厂
开本:889×1194　1/24　印张:7.5　插页:4
版次:2005 年 9 月第 1 版　2006 年 7 月第 4 次印刷
印数:18,601-24,600
定价:25.00 元